Cora Coragem CoraPoesia

Vicência Brêtas Tahan

Cora Coragem Cora Poesia

4ª Edição, Global Editora, São Paulo, 2002
1ª Reimpressão, 2012

Diretor Editorial
Jefferson L. Alves

Gerente de Produção
Flávio Samuel

Revisão
Alessandra Cristina Araújo
Regina Elisabete Barbosa

Capa
Mauricio Negro
Eduardo Okuno

Dados Internacionais de Catalogação na Publicação (CIP)
(Câmara Brasileira do Livro, SP, Brasil)

Tahan, Vicência Brêtas
Cora Coragem, Cora Poesia / Vicência Brêtas Tahan. – 4ª ed. – São Paulo : Global, 2002.

ISBN 978-85-260-0235-7

1. Coralina, Cora, 1889-1985 – Ficção 2. Romance Brasileiro I. Título.

89-1457 CDD–869.935

Índices para catálogo sistemático:

1. Romances biográficos : Século 20 : Literatura brasileira 869.935
2. Século 20 : Romances biográficos : Literatura brasileira 869.935

Global Editora e Distribuidora Ltda.
Rua Pirapitingui, 111 – Liberdade
CEP 01508-020 – São Paulo – SP
Tel.: (11) 3277-7999 – Fax: (11) 3277-8141
E-mail: global@globaleditora.com.br

Obra atualizada conforme o **Novo Acordo Ortográfico da Língua Portuguesa**

Nº de Catálogo: **1860**

A meus filhos.
A minha filha Celia,
que me ajudou a transformar
meus manuscritos neste livro.

A CORA CORALINA

PAULO BOMFIM

Cora-Coragem,
Cora-Poesia,
Cora-Palavra,
Cora-Protesto,
Cora-Justiça,
Cora-Paixão,
Cora-Mulher!
Na inquietação-Coralina,
Na procura-Coralina,
Nos combates-Coralina,
Nos Goiases-Coralina!
E de Cora Coralina,
Veste-se a noite de hoje,
E de Cora Coralina
É o verbo que se faz verso!
Ave Poesia, cheia de graça,
Nave Goiás-Anhanguera,
Bênção Cora Coralina!

A Paulo Bomfim, poetíssimo

Obrigada, poeta, por me permitir usar a beleza de seus versos para dar nome a este livro sem pretensões literárias, mas que traz em seu conteúdo pedaços de uma vida cheia de coragem e exemplos daquela que foi minha Mãe.

A Autora

Goiás, O Início

Era o seu terceiro casamento.

Do primeiro, pouco se lembrava. Apenas uma criança embalando sua boneca, horas antes da cerimônia com alguém que tinha o dobro da sua idade. Casamento tratado entre as famílias Couto Brandão, da capital da Província, e Caldas, comerciantes de Itaberaí.

Ninguém nem sonhou em perguntar o que sentia, o que pensava. Apenas havia conveniência naquela união entre os dois nomes ilustres.

Pobre homem! Morreu antes de sua filha Vicência vir ao mundo.

Como é de praxe, viúva e filha continuaram morando com os pais, onde já moravam no tempo do marido vivo. As famílias grandes, as casas grandes também, para agasalhar a todos, sempre juntos.

O segundo casamento, após dois anos de viuvez, também arquitetado por sua mãe, uma senhora muito previdente, preocupada com a situação de uma filha viúva, ainda jovem, e uma neta, que poderiam ficar como pesos em suas costas e por sua conta. Pelo menos teve uma pergunta:

— Quando você quer marcar o compromisso com o Dr. Francisco?

O luto tirado de vez, a casa passando por uma faxina completa, a festa. Convidados poucos, como bem convinha a uma viúva.

Dr. Francisco era quarenta e três anos mais velho que Senhora Jacintha, mas tinha uma posição de destaque na Província: desembargador nomeado pelo presidente. Era paraibano de nascimento, mas já morava pelas terras goiases há bastante tempo. Um partido e tanto!

Um ano depois, uma menina mais habitava o casarão: bonita, rechonchuda, bem-vinda, Helena.

O doutor, envaidecido, compra do sogro o casarão em que moram, à beira do rio Vermelho, e passa para o nome da esposa. Um presente pelo nascimento da pequena Helena.

Nessa ocasião da compra do casarão, Vô Quinquim e Vó Honória passam a maior parte do tempo na fazenda, para onde levam uma escrava, fiel aos dois, e uma cria da casa: Joana.

Mais dois anos com problemas de gota e artrite a preocupar bastante o grupo familiar, encaminha-se para a morte o desembargador, mas ainda tem o gosto de ver outra filha nascendo, dois meses antes de falecer. Essa era o oposto da outra: magra, chorona, feia. Ana, nome escolhido pela avó, ardorosa devota de Sant'Anna. A mãe deixou-a à guarda de uma velha tia –

Vó Dindinha –, que vivia com a família, pelos cantos, calada, sem motivação, mas que renasceu ao ter que cuidar da pequenina tão indesejada pela maioria, gerada por um pai doente e idoso, às vésperas de se mudar para o Além.

Agora sim. Este novo casamento tinha sido uma escolha sua.

Escolha? Bem...

O decênio de 1880 é terrivelmente difícil. Os abolicionistas e os republicanos, em plena campanha, atrapalhando, intranquilizando e pondo em sobressalto os senhores de terras e escravos. O zum-zum chegando até as senzalas, incentivando fugas para quilombos e rebeldias dos escravos; as leis proibindo a vinda de navios negreiros; a que favorece os sexagenários, livrando-os – esta contando com o apoio dos senhores escravagistas que não podiam ter mais o trabalho dos velhos nas lavouras, nos engenhos, agora encostados, apenas representando despesas; a lei do Ventre-Livre, a que os senhores foram completamente contra, e, finalmente, a completa abolição da escravatura, em 1888.

Consequência ou não, perde o Imperador, que se vê obrigado a capitular frente aos republicanos e a voltar a Portugal, deixando o país pobre, com uma agricultura primitiva e limitada. As famílias se veem sem os escravos, sem trabalhadores para as roças e as casas grandes. Os negros, na euforia da liberdade, invadem e perambulam nas vilas, sem saber o que fazer. Seus conhecimentos são de mão de obra rudimentar, apenas a enxada e a foice, o fazer panelas de barro, o trato dos animais, alguns poucos com o conhecimento de ferreiro, cozinheiras e babás.

Há um momento econômico crítico e de convulsão social que dificulta a República recém-instalada. Miséria... muita miséria...

As grandes secas de 1888 e 1889 contribuem ainda mais para a quebra econômica.

O País se tornou uma República e as antigas províncias se tornaram Estados. Mas o povo continua a falar das províncias.

Ninguém tem ambição. Estão todos irmanados na mesma pobreza.

Aos vinte anos, com três filhas, pouco dinheiro – apenas umas libras esterlinas – e a casa-chácara em que mora, à beira do rio, numa cidade pequena, esquecida entre a serra Dourada, apesar de capital da Província, é difícil escolher. Todos os homens livres ou são muito jovens ou viúvos de cinquenta anos para mais. Mas este Dr. José, médico, vindo à cidade para estudar um projeto de saúde pública que o presidente da Província tinha ambições de promover, encanta-se com a viúva, ouve falar de suas posses, poucas, mas suficientes, dos dotes de boa dona de casa e administradora dos seus bens, com algum saber das letras, pois gosta de ler o que lhe cai às mãos, além de ter algum conhecimento de francês e espanhol, aprendidos com o velho padre José, da paróquia local. Passa logo a quem convém toda a história de sua vida, um pouco errante, instalando hospitais por esse mundo afora, sem raízes, e com alguns meios.

Senhora Jacintha ouve tudo isso.

Gosta do porte altivo, da cor acobreada pelos muitos sóis tomados em sua vida montado no lombo de animais, a visitar seus doentes. Pesa bem sua vida com as filhas, sem um homem a protegê-las, a ditar os caminhos e descaminhos. Lembra o tempo, logo após sua última viuvez, que teve de passar alguns meses na fazenda Primavera, do pai, para alugar sua casa e ter mais algum dinheiro.

Faz-se bonita. Tira os vestidos claros do velho baú. Aposenta de vez os negros da viuvez e novamente está frente ao altar, jurando os mesmos juramentos de amor, fidelidade, obediência, "até que a morte nos separe".

O selamento do novo enlace surge alguns meses depois: outra menina chega. Ada. Agora são três.

– Três? E a pequena que está sendo criada por Vó Dindinha? Como fui esquecer? Tenho quatro filhas e já é tempo de me preocupar com a saúde deste meu companheiro, pois não foi a velha Florinda – Mãe Preta, como a chamam –, que é vidente, quem disse que vou terminar a vida sozinha, sem um homem? Cruzes, credo!

A casa é um vaivém sem fim. Nove mulheres a limpar, coser, cozinhar, quitutar, matraquear, bisbilhotar.

Pobre do doutor. Não vê a hora que sela seu cavalo, sai para o trabalho e, às vezes, passa dias fora, pelas estradas e arraiais, visitando doentes – gentes e animais –, pois é um estudioso também da veterinária. Parturientes em longo trabalho de parto prendem-no a casebres, por horas ou dias. Para tudo está disponível e sem pressa. No fundo, apenas uma fuga do cotidiano familiar, onde passa por um sujeito taciturno, esquivo às conversas fúteis do mulherio, difícil de convivência...

Senhora, agora já amadurecida, forte, apesar de desligada da casa, deixa os afazeres da cozinha ao encargo de Vó Dindinha, que distribui serviço, apressa Mãe Preta e tia Lucinda nos quitutes que fazem e acompanha as lições de tabuadas e escritas das crianças, fazendo presença, pois é analfabeta.

Senhora distrai-se com seus livros e revistas, que agora chegam semanalmente. Programa serões. Não esquece os aniversários. Providencia prendas para as quermesses – é uma boa cristã; apesar do kardecismo, atua bastante na igreja –, é braço direito do pároco nas festividades religiosas.

Vó Dindinha, cada dia mais velha e mais apegada à sobrinha-neta que cria com desvelo, vive angustiada: a menina é doentia, talvez para que não esqueçam o velho pai que a plantou no tardio da vida, com a saúde já debilitada e que mal pôde conhecê-la.

A pequena, além de pernas moles, preguiçosa, apática, fraca fisicamente, não é das que se sobressaem entre coleguinhas na escola da boa mestra Silvina, que já tinha sido professora de sua mãe, e muito menos entre as irmãs, mais espertas, mimadas, que brilham aos olhos da Senhora Jacintha. Só lhe sobram recriminações, os calçados e as roupas que as mais velhas vão deixando pelo crescimento. "Vintém poupado é vintém ganho" é o adágio sempre repetido.

– "*Détraqué*", dizem a respeito dela.

– "Inzoneira", repetem a toda hora.

Sua distração maior é cortar e recortar trapos e sobras de pano que ninguém mais quer, na perspectiva de conseguir fazer roupas, que sonha para si, para a bonequinha de pano, já ensebada, desbotada, recosturada e rerrecheada de palha de milho, que Vó Dindinha lhe fizera ao completar quatro anos. Tão querida, tão companheira, como jamais o foram as irmãs e as coleguinhas da escola da velha mestra!

Às vezes deixa que a irmãzinha caçula participe da sessão do "faz de conta" das costuras, tirando o velho vestidinho para experimentar o novo, que nada mais é do que pedaços de pano com abertura para passar a cabeça, dois furos para os braços e, se tiver sorte, uma cinta passada por cima, de velhas fitas que tia Lucinda tem nos guardados e que, vez ou outra, passa pela limpeza e lhe parecem sem serventia, guardadas há tanto tempo que já nem cor têm definida. Mas como é bem recebida pela menina!

– Que mimo!

Ideias mil surgem na sua cabecinha para aproveitar as fitinhas. E lá vai para um cantinho da copa, onde pode se refestelar com o novo tesouro, sem incomodar os adultos que transitam pela casa. E ali passa horas, esquecendo-se da fome que ronda constante, das reprimendas, e todos dando "Graças aos Céus" porque não ouvem seu choro, após tombos e tombos, pois parece que a pobrezinha não faz outra coisa senão dar cabeçadas, tropeçar à toa, choramingar.

Senhora Jacintha, à cabeceira da grande mesa de refeições, entretida na feitura de cigarros que faz com grande perfeição – fumo goiano, do bom, bem picado e desfiado, sendo enrolado criteriosamente na mesma quantidade, em cada palha de milho, já amaciada e preparada, juntados em amarrados de cem ou cinquenta cada um, que são vendidos a um comerciante que tem fregueses certos no Rio de Janeiro –, observa a menina quieta, com o canto dos olhos.

– Para as festas de fim de ano, vou levar essas crianças para a fazenda. Estão precisando de um bom leite e ar puro do campo!

Assim vai pensando a Senhora.

A fazenda Paraíso do pai Quinquim é o refúgio certo quando as coisas não vão bem. É o remédio para os corpos cansados, para as dores de peito, para os corpinhos em desenvolvimento das meninas, para os achaques de Vó Dindinha.

É tempo de goiaba, de milho verde, de pitanga, de amora, de caju.

O leite tirado da vaca, logo ao nascer do sol, espumoso, quentinho, tomado na mangueira.

O monjolo com sua batida ritmada, fazendo rodar o moinho de fubá de milho, é a alegria da criançada.

A casa dos queijos e requeijões. A horta.

A presença marcante do avô, senhorial, apesar de mansa, comandando os trabalhos da roça – agora tão pouco –, a criação de vacas, cabras, as compras, as vendas e as trocas. Centro de prosas e causos ao findar do dia, cercado da família e sempre tendo algum visitante ou vizinho à volta de sua rede, na varanda do casarão. É grande caçador, cachorrada boa, trompa de caça com bocal de prata e muita terra, boa e má.

Vó Honória atenta à cozinha, aos trabalhos das antigas escravas que ainda permanecem fiéis à casa, contando com o auxílio de tia Balbina, a mais antiga, para dirigir a queijaria, os tachos de doces, a horta, a farinhada. Mãe Yayá, mãe de Vô Quinquim.

Tio Nhonhô, irmão da Senhora, mora na fazenda e é a mão direita do pai.

Nas férias também estão tia Fifinha, com o marido e os filhos.

A casa cheia.

As brincadeiras entre as crianças da casa e dos serviçais é de inteira liberdade.

– Não há perigo. Deixe-as em paz – preconiza o avô.

Correm o tempo todo pelo pomar, atrás dos passarinhos, das seriemas, dos cabritinhos, só parando para as refeições.

As descobertas infantis... As histórias contadas por Mãe Preta...

Olhos arregalados, atenção redobrada e lá vem mais uma...

– Pois é, perdi a chave do meu bauzinho. Carecia tirar uma moeda que guardei ali pra cumprar fumo. Ceis sabem, num é? Guardu ela pindurada nesse barbante passado nu pescoçu. Procura que procura e nada... Arrezorvi rebentá o cadiadu. Pois num é que a danadinha tava lá dentru? Só podi sê coisa das arma dotro mundo... ou du Demu!

Saci-pererê endiabrado, atazanando a vida dos animais no pasto, escondendo as coisas da casa...

Cundunm Serê, meio homem, meio bicho, que pega a criança e coloca no surrão e sai com o saco no ombro, cantando por todos os lugares, até a hora que bebe muito, cai, as pessoas soltam a criança e colocam pedras no lugar.

Medo... comportamento, obediência. Era assim que se conseguia.

Causos reais e imaginários.

Os alimentos fartos, a vida sem pressa, sem compromisso, repondo as energias, dando cores às faces, trazendo saúde.

Depois da festa de Reis, lá vem Senhora, suas filhas, suas criadas, Vó Dindinha, de volta à cidade. Dois carros de bois, sob o comando do velho Anselmo, chiando pela estrada, trazem a família. Trazem quilos e mais quilos de goiabada, marmelada e passa de caju; licor de jenipapo e de amora; queijos, requeijões, pamonhas, saco de milho verde, saco de polvilho de milho, rapadura.

Fartura... Lembranças do Paraíso...

Doutor José, que passou o mês com seus doentes, seus livros, na casa, acolhe a todos com alegria e a rotina volta a se instalar.

Os anos vão passando mornamente.

Aninha tem agora dez anos. Suas irmãs Vicência, a mais velha, fez catorze, Helena tem doze, e a caçula, Ada, seis anos.

Aninha teve dois anos de escola. Escola nos moldes antigos – do tempo da mãe. Cada aluno com sua lousa de escrever, sentados em bancos sem encosto, de um lado os meninos, do outro as meninas. Entre eles a mesa encardida, suja de tinta das escritas. A mestra impondo disciplina através de castigos, os mais variados, desde a palmatória para os casos mais graves, aos grãos de milho no chão, ferindo os joelhos dos rebeldes que sobre eles tinham de passar um bom tempo ajoelhados. A carta assustadora, no fim do mês, que deve ser entregue aos pais e precisa ser assinada, onde tudo é relatado: comportamento, aprendizagem, assiduidade. O terror ao levar para casa, esperando a reação do "Senhor Seu Pai" ou "Senhora Sua Mãe".

Por maior que fosse o empenho do aluno, jamais era recebido um elogio, uma frase animadora. Apenas exigências e mais exigências.

Para Aninha, após o primeiro ano na escola, onde sofreu muito, abestada com o palavreado adequado, direto e solene da mestra, começa a se integrar, a compreender.

Um mundo novo chega através das figuras, no primeiro momento, e depois através das letras, onde descobre o quanto há de novo e belo nos velhos almanaques empilhados no quartinho de despejo, onde a mãe tem amontoado relíquias, coisas mil que um dia, pensa, terão utilidade.

A partir desse momento, Aninha se transforma numa leitora apaixonada. Seu mundo não está mais na casa, na mãe, nas irmãs, na avó. Extrapola os paredões, as serras de sua cidade.

Sua cabeça fervilha.

– Vive no ar, como dizem os mais velhos.

Ninguém compreende sua mudança, sua descoberta. Continuam alheios aos seus anseios, não entendendo sua paixão pelos livros e revistas, se bem que achando muito bom, pois enquanto lê ou faz suas lições não está incomodando com perguntas que, na maioria das vezes, ficam sem resposta.

– Ô menina petulante! Tanta pergunta! Vamos para a cozinha aprender a enrolar os quitutes. Anda!

– Só moça prendada arranja casamento. Ou você quer ficar vitalina como sua Vó Dindinha?

O medo que essas palavras produzem dá-lhe uma dorzinha funda no estômago, uma secura na boca. Aprendeu desde cedo que o casamento é a coisa mais importante na família. É o "estado maior" ser casada.

Põe o livro no seu cantinho apropriado e lá vai para a cozinha, na saudável e correta atitude de uma jovem de família que deve conhecer todos os afazeres domésticos, e começa a enrolar os pãezinhos de queijo, com cuidado, para que fiquem todos do mesmo tamanho.

A todo instante, a admoestação materna:

– O homem se pega pelo estômago. "Quem não é boa dona de casa, cedo não casa."

Passagem do século.

Não se fala noutra coisa durante esse ano de 1899!

Há preparativos por todo lado.

O Natal é comemorado, como sempre, em família, com troca de cumprimentos, Missa do Galo, um almoço especial.

A expectativa para o último dia do ano corre de maneira diferente em cada um. Alguns temem a chegada da meia-noite: o fim do mundo, novo dilúvio, profecias de Nostradamus... Outros preparam comezainas, rojões.

Meia-noite.

Dobrados tocados pela banda da cidade, em frente à Igreja do Rosário, e pela banda do quartel, diante da Igreja da Boa Morte. Rojões estouram por todos os cantos da cidade. O povo sai às ruas e becos. Amigos e vizinhos se confraternizam. Os sinos das igrejas badalam nas torres.

Ano-novo. Século novo.

Um renovar de esperanças, de tempos melhores.

Uma grande novidade acontece no casarão naquele ano de 1900. Vicência é pedida em casamento pelo jovem Joaquim Jacintho, da casa dos Cunha Bastos, e naturalmente aceita. O noivo é comerciante em início de carreira, mas tem futuro, pois compra arroz, feijão, sal, em Goiás, enche o carro de boi e leva para vender em Conceição do Araguaia. Uma longa viagem, mas compensadora.

O namorico na janela, o troca-troca de amabilidades entre as famílias já teve início há três meses.

Logo após o pedido, a agitação domina todos, em preparativos inúmeros, pois as bodas acontecerão antes do Natal, nos primeiros dias de dezembro. Preparam-se listas de peças de enxoval, listas de roupas pessoais, verifica-se o que falta. O costume é que, tão logo as meninas vão chegando à puberdade, já se começa a bordar brancos lençóis, fazer franjas de crochês para eles e para as fronhas, clarear sacos que chegaram com açúcar ou farinha, para depois juntá-los com crochês, tornando-os toalhas de mesa ou de banho, panos para a cozinha; toalhinhas de crochê trabalhadíssimas para mesas, cadeiras, prateleiras de cristaleiras, de armários, feitas por todas da família que têm habilidade manual – quem não tem aprende, diz Senhora.

Listas de convidados, escolha de padrinhos. Prepara-se o vestido da cerimônia em casa de tia Nhorita, ótima costureira. Bordam-se monogramas entrelaçados em todas as peças, desde um pequeno lenço à grande toalha de banquetes, com seus quarenta e oito guardanapos.

Só nesse momento, Aninha realmente toma conhecimento da irmã como pessoa, pessoa que começa a questionar, a dar palpites, a tomar ares de senhora, cuidando mais de sua postura, suas roupas, suas maneiras, e percebe o quanto significa um noivo na vida de jovens casadoiras.

Apenas agora também sente dentro si algo novo. Começa a olhar o seu corpo na mudança para a puberdade: os seinhos começando a crescer, a cintura se afinando, uma penugenzinha a aparecer nas axilas e na região púbica.

Ainda não teve sua primeira menstruação e quase nada sabe sobre isso, pois é assunto de que não se fala perto e nem para as crianças. Alguma coisa percebe entre as irmãs mais velhas: um cuidado maior com os modos, com as brincadeiras, um mal-estar em alguns dias que põe Vicência ou Helena, por algumas horas, na cama, tomando um chá bem quente ou leite quente com canela, que Mãe Preta prepara.

Cresce magrinha, ainda de pernas moles: é sempre a que cai nas brincadeiras de pega-pega, na hora de pular corda. Tem uma fome constante.

– É gulosa – sentencia a mãe.

A festa está sendo preparada. Na véspera do grande dia, o forno de barro é enchido de lenha, ateia-se o fogo, espera-se esquentar e põem-se os assados, depois de limpá-lo das brasas e cinzas. Tabuleiros de empadões gordos, cheios de carne de galinha, palmito amargo, azeitona, ervilhas e molho são assados. São tentações irresistíveis para Aninha! Ela não é atraída pelos pastéis, pães recheados de pernil cortado em finas fatias, biscoitos de queijo, bolo de arroz, as compoteiras cheias de ambrosia, doce de laranja, doce de leite, de limão. Mas as empadas...

Na primeira ocasião que se vê sozinha, perto dos tabuleiros já prontos, não resiste e pega duas bem douradinhas e sai, de fininho, escondendo aquelas delícias nos bolsos do vestido. Vai para o fundo do porão, que é bem alto e proporciona esconderijo dos olhos que vão à bica, que corre em canaleta de bambu e proporciona água mais fácil para o uso da família que o poço fundo, do quintal.

– Que delícia!

Come tudo. Não deixa um farelinho se perder e só depois torna à casa, onde o rebuliço continua.

Horas mais tarde, Senhora, que vai levar para os armários outras travessas, de doces, dá uma olhada geral e percebe o espaço vazio nos tabuleiros dos empadões. Não tem dúvidas:

– Aninha, já aqui – grita por toda a casa.

As chaves dos armários e quartos, que sempre traz penduradas à cintura, pois tudo é trancado, tintilam pelas salas, quartos, quintal. Procura a filha.

A menina não tem escapatória, sabe disso, e lá vai ressabiada para a presença da mãe. Não dá nem para pensar em mentir ou desculpar-se. A vara de marmelo desce e deixa um vergão na sua mão.

Aos prantos, foge para o consolo e proteção de Vó Dindinha, ainda ouvindo a voz materna:

– Aprende, sua gulosa!

À noite, sonha com empadas gigantescas, montanhas delas, azeitonas pretinhas saindo por toda a massa. Acorda várias vezes, a boca seca, a mão ainda dolorida e uma vontade enorme de sair da cama e ir em busca dos apetitosos empadões, a esta hora trancados na despensa, a sete chaves, por sua mãe.

O dia traz novidades que Aninha jamais sonhou. Para começar tem, pela primeira vez em muitos anos, um vestido novo, feito especialmente para ela, todo rosa, com delicadas rendinhas tricotadas, um par de meias brancas de seda e um sapatinho de verniz preto, comprados no melhor armazém da cidade.

Depois do café, já é mandada para um banho, e Joana, uma das crias da casa, preta retinta, "coração de ouro", ajuda a vestir e calçar e passa um laço de fita, também rosa, por seus cabelos, sempre recomendando para que tome cuidado, para não cair e se sujar, para ter modos na igreja, para não comer, a não ser quando lhe for servido um prato já preparado pela Lucinda.

Helena e Ada também estão se preparando com a ajuda da negra. Elas não necessitam de tantas observações, mas estão atentas.

As meninas não veem Vicência, mas Joana logo diz que se prepara no quarto dos pais, longe de todos, pois a noiva só deve ser vista na hora da cerimônia.

Dez horas, batem os badalos do relógio da Matriz.

Todos saem, antes da noiva, a caminho da igreja.

Vó Dindinha também tirou o seu surrado vestido de todo dia e está com um novo, de seda preta, pesado, mangas compridas, golas altas de crochê, sapatos apertando-lhe os pés acostumados ao confortável chinelo caseiro. Ela comanda as meninas, as duas criadas antigas da casa. Também vão junto Vô Quinquim e tia Fifinha com os filhos.

A noiva deve chegar quando todos já estiverem nos seus lugares. Chegará com o noivo que, depois de se aprontar em casa dos pais, passa em casa da noiva e, juntos, chegam ao altar.

– Virão com os pais – diz a tia.

O caminho é curto: apenas duas quadras percorridas a pé.

O altar, todo enfeitado com palmas de Santa Rita, está uma beleza!

Às dez e meia em ponto, o senhor pároco está cercado pelos noivos e testemunhas.

Vicência é uma beleza de noiva, no seu vestido primoroso, com o seu porte elegante!

Aninha, extasiada, não entende nada do que diz o sacerdote no seu latim, mas fica calada, quieta, absorvendo todo aquele momento de encantamento.

Não se lembra como chegou ao final da cerimônia, mas agora está no Cartório, para o registro, com todo mundo se espremendo, um calor brabo!

Com as irmãs, forma um grupinho comportado para o melhor da festa: tem um prato cheio nas mãos – empadão, coxinha, pastel. Lucinda, na cozinha, suprindo os pratos da meninada. Um pedaço de bolo todo enfeitado, doces secos, olho de sogra, completam o seu dia. Talvez o primeiro em que, na verdade, se satisfaz completamente. Os refrescos de seriguela e maracujá estão sendo servidos às crianças e senhoras, enquanto aos cavalheiros é servido um vinho feito em casa, de laranja, receita guardada muito bem, e apreciado por todos, além de vinho português, comprado um garrafão há muito tempo e esperando a ocasião certa.

Por muito tempo a lembrança desse casamento da irmã povoa sua cabecinha. Marca sua vida. Duas épocas distintas: antes e depois daquela data.

No dia seguinte, Vicência chega cedo à casa, em prantos. Tranca-se com a mãe no quartinho dos fundos e só bem mais tarde saem as duas, rumo à casa do jovem casal. À noitinha, Senhora chega, cochicha com Vó Dindinha e se recolhe.

Aninha e as irmãs não sabem o que aconteceu e nunca ouvem qualquer comentário a respeito. Curiosas, não ousam fazer perguntas e, depois, esquecem.

A normalidade volta ao velho casarão.

A velha mestra aposenta depois de lecionar por cinquenta anos. Há um período de férias, enquanto não toma posse a nova professora e, com isso, Senhora retira, de vez, as filhas do estudo. Acha que já estão sabendo o suficiente, pois leem, escrevem e sabem as tabuadas. Está na hora de se aprimorarem nos bordados, nos crivos, nos quitutes.

– Ana, deixa essas bobagens aí e vem mexer o tacho de goiabada. Vamos, menina!

Não tem jeito. O melhor mesmo é deixar o livro de histórias para terminar mais tarde.

Enquanto os movimentos da colher de pau com o cabo longo são feitos maquinalmente, evitando receber sobra das bolhas da goiabada que saltam com a fervura, Aninha pensa em uns versinhos que vão surgindo na sua cabeça. De repente começa a pensar em palavras rimadas: goiabada-queimada; calor-ardor; colher-mulher; tacho-racho; cobre-mole...

Logo vem a Vó Dindinha verificar o ponto do doce e, então, Aninha pode parar, pois, ao final, só a Vó Dindinha é quem sabe o ponto certo de apurar, tirar do fogo, bater e despejar nas caixinhas de madeira, já preparadas com uma forração de papel manteiga, que estão enfileiradas em cima do jirau.

Mais tarde, aproveitando a última claridade do dia, vai ao quarto, pega um dos velhos cadernos, onde há algumas folhas em branco, e escreve aquelas palavras rimadas que passaram por sua cabeça ao mexer a goiabada. Novas ideias ão surgindo e, sem demora, são escritas antes que apareça alguém para passar pito, pois "a luz pouca não é amiga dos olhos".

À noitinha, nada há a fazer senão ouvir os causos, dormir cedo, como é o costume da casa.

A luz das lamparinas de querosene, tremulantes, convida os olhos a dormir.

– Dá uma modorra...

O pessoal da casa não aprova de maneira alguma as atividades da menina.

– Menina sonsa. Onde já se viu mulher querer escrever? Ainda mais esses versinhos tontos...

"Quem nasce pra dez réis não chega a vintém", está sempre ouvindo.

– Vamos brincar de fogo-apagou? – chama a caçula Ada. Vem Aninha, vem. Não tem ninguém para brincar comigo.

– Quedê o toicinho que estava aqui?

– O gato comeu.

– Quedê o gato?

– Fugiu pro mato.

– Quedê o mato?

– O fogo queimou.

– Quedê o fogo?

– A água apagou.

– Quedê a água?

– O boi bebeu.

– Quedê o boi?

Aninha está com a cabeça longe da brincadeira, doidinha para voltar a pegar aquele livro de histórias: Christian Andersen! Quanta história bonita! E a Sereia? A história do velho sapateiro... O patinho feio...

A brincadeira não distrai sua cabecinha, e só acompanha Ada por saber que a mana não tem outra pessoa para lhe fazer companhia.

– Ora, vamos, continua. Vamos começar tudo outra vez.

Aninha sugere outro brinquedo – brincar de casinha.

Vão buscar as panelinhas de barro, como são as da casa, feitas por Mãe Preta ou Lucinda, que buscam argila boa pros lados do pasto da chácara de Dona Filó e as fazem com perícia e depois as cozinham no forno de barro que fica no quintal.

Canecas de ágata, sem o cabo ou furadas, já sem uso, com as quais podem brincar. Comidinha de mentirinha... Se têm sorte, Lucinda arruma um pouquinho de farofa ou arroz já pronto. Matinhos também são cortados e viram comidinha.

Às vezes, buscam na cerca que fica ao fundo do quintal, separando do beco, favas de olho-de-cabra, que dão sementes vermelhas com mancha preta ao lado e que, depois de furadas, passando-se um cordão, tornam-se pulseiras e colares.

A casa é velha, bem alicerçada em pedras – serviço de antigos escravos –, na beira do rio Vermelho, com janelas para o rio e para a rua.

– Teve um sobrado, donde se viam as igrejas, becos e quintais. Via-se até o cemitério e toda a serra ao redor – conta a Vó Dindinha.

Tem salinha, copinha, quarto escuro, quarto do Vô Quinquim – embora há muito tempo não more lá –, quarto da Vó Dindinha, quarto da Mãe Yayá; tem sobradinho, dispensa grande, cozinha, sala dos tachos. Todos os cômodos, com seus nomes.

O rio correndo ao lado – despejo do lixo –, batendo nas pedras do alicerce, caudaloso nas enchentes, manso e raso na seca. Quando cresce o volume das águas, no tempo de chuvas brabas, entra para o porão, através da janela gradeada, tornando tudo uma lama só, mas nunca abalando a casa.

– "Também tem tesouro", como bem contam os da casa.

A história do tesouro já levou muita gente a pedir ordem à mãe ou ao Vô Quinquim para escavar "determinado canto" visto em sonho ou em terreiros de macumba.

– "Até um sacerdote já cavou no porão", contam as crias da casa.

– "Senhora não acredita nessas coisas, mas que há, há, isso não tem dúvida", dizem vizinhos.

Até o nome do enterrador do tesouro é conhecido: Tebas Roriz, o encarregado de cobrar o Quinto para a Coroa (quinta parte de todo o ouro minerado na região). Matou seu fiel escravo – o único que o ajudou a sumir com as moedas, pepitas, travessas, joias – e depois, para não ser levado a julgamento e aceitar seu substituto, numa troca que o denegria, também apelou para um tiro de escopeta que o derrubou ao pé do escravo.

Histórias e estórias. Coisas do passado...

O lugar preferido para os brinquedos é o porão. Lá ninguém vai incomodá-las e elas não incomodam ninguém. É alto bastante para andarem à vontade.

– Antigamente – conta a Vó –, essa água que corre na taquara era apenas uma bica que apareceu entre as pedras. Foi Vó Honória que mandou trazer até a entrada, correndo num tronco de árvore, cortado especialmente para isso. Foi muito bom, facilitou o trabalho e vocês sabem que não seca e nem diminui a quantidade nunca, né? O poço, às vezes, fica com pouca água, quando a seca é braba. Mas a bica tá sempre igual.

É gostoso, um frescor bem-vindo no verão.

Muitas horas passam as meninas ali. Às vezes, amarram um cordão numa vara de taquara fina, onde o avô colocou um anzol, procuram minhoca na horta, para isca, e ficam à janela gradeada que dá para o rio, sentadas nas pedras, pois o alicerce da casa tem um metro de largura.

– Peixes?

Que nada!

– Estão engordando os peixes, dando de comer a eles...

As minhocas se vão e, com elas, os peixes sabidos.

Ficam contentes quando são chamadas para dentro, para o almoço.

Certo dia, à tardinha, à hora do banho, Ana, ao se despir, vê que tem a calça toda vermelha, com sangue. Grita pela tia, assustada.

– Dindinha, olha. Que é isso? Eu vou morrer? Estou sangrando que nem aquela galinha que a Lucinda matou, cortando o pescoço. Ela perdeu todo o sangue até morrer, não foi?

– Oh, minha filha, não é nada disso. Todas as meninas passam por isso. Apenas é uma coisa natural, que acontece pras mulheres quando se vai ficando mocinha.

– Mas não vai parar nunca mais? O que eu faço?

– Claro que vai parar. Isso dentro de uns três dias. Só que, de agora em diante, acontecerá todos os meses, até você ficar velha, como eu. Agora vamos costurar uns forros, reforço de pano em sua calcinha e você trocará várias vezes por dia, para que ninguém note e assim também não sujará seu vestido. Não precisa falar com ninguém sobre isso. Vamos, não é o fim do mundo!

Depois, mais calma, preocupada com o vestido, volta a circular pela cozinha, ainda ressabiada, observando nos olhares das outras pessoas da casa se alguém já sabe o que lhe aconteceu. Mas sossega, pois todos estão nos seus afazeres, nas prosas, e nem ligam para ela.

Certa tarde, ao passar pela sala de visitas, onde vê a mãe e Vó Dindinha recebendo uma amiga da família, dona Milicéa, ouve uma frase:

– Coitadinha da Anica, tão desenxavida e estabanada! Essa não vai casar tão cedo!

– Já Helena, sempre o contrário: é o centro das atenções nas festinhas. Vaidosa como ela só!

– Por certo não faltarão propostas de casamento.

Corre para o quarto e só para frente ao espelho, a se analisar.

– Cabelo?

Escorrido, até o grampinho escapa... tão fino...

– O rosto?

Uns olhos grandes sobressaindo e se tornando o campo único da face. "Negros como as penas da graúna", como diz a avó.

– A boca?

Pequena, benfeita.

Não dá nem para dizer que tem rosto redondo ou comprido – só olhos!

– O corpo?

Melhorando com as novas formas arredondadas.

– As pernas?

Muito compridas e magrinhas.

– Pés e mãos?

Pequenos.

Realmente, sua figura não é lá essas coisas. Tem razão sua mãe. Beleza mesmo só Helena e a caçulinha, que promete...

Uma tristeza vai fundo. Passa o resto da tarde calada, pensando sempre na conversa ouvida. Ainda vai dormir tristinha sem conversar com ninguém, pois os adultos não estão lá para ouvir "probleminhas de crianças".

Por muitos dias ainda lembra aquela conversa, mas aos poucos, com o decorrer da semana, aquele fato é depositado num cantinho da memória e tudo continua na mesma. Só tempos depois vai novamente se angustiar e, depois de muito pensar, toma uma decisão que norteará toda a sua vida:

– Não vou me incomodar mais com isso. Tenho belezas dentro de mim e com elas vou viver.

Nessa ocasião, Ana tem dezesseis anos.

Vicência já tem duas lindas crianças que adoram quando Aninha aparece, sempre com um "agrado", coisinha pequena, como um botãozinho colorido em forma de flor que encontrou nos guardados, um pacotinho de doce de leite que Florinda ou Helena tenham feito.

Helena, linda, a mais formosa da família, está comprometida com Evandro, filho dos compadres Filhinha e Raimundo, amigos da família. Já se prepara enxoval em casa, se bem que não tenham marcado a data dos esponsais.

Ada começa a entrar na fase dura da puberdade – nem menina, nem moça.

Até então Aninha não tem um namorico sequer. Bem que observa os jovens nas festinhas a que vai.

Na última quermesse havida, festividades em homenagem a Sant'Anna, padroeira da cidade, ficou sabendo e conhecendo a nova moda: o correio elegante. Um cartão recortado em forma de coração, onde os jovens escrevem algum versinho e mandam entregar às meninas. Isso sem assinatura, na esperança de transmitir a mensagem que lhes interessava, sem comprometimento se não houvesse reciprocidade.

A muito custo, consegue-se saber quem é o remetente a troco de muita conversa com o portador do cartão, ou pela letra, ou seguindo furtivamente o mensageiro, quando vai entregar a resposta.

São noites de grande divertimento e, como ela é boa em versos, também deixa muito garoto com "a pulga atrás da orelha", pois é difícil esperar que uma mocinha saiba fazer versos ou quadrinhos tão interessantes.

Durante as festas juninas desse ano, Ana encontra um rapaz dos seus dezoito anos, que já havia visto antes, sem, porém, ter tido a oportunidade de conhecer. É José, filho de uns compadres de sua mãe, que estuda no Rio de Janeiro e vem passar férias junto à família.

Fica encantada com ele.

Procura se ajeitar melhor naqueles dias, esperando a oportunidade de um encontro, quando poderão conversar.

Acontece durante a festa de São João, quando é convidada para um "dia caipira" que dona Otília, famosa quituteira da cidade, oferece aos amigos em sua chácara, pras bandas do poço da Carioca – região que cerca uma linda represa natural de águas límpidas que descem da serra.

Estão todos se preparando para dançar a quadrilha, ao som da sanfona do Velho Zuza. Ana não tem par, como é comum acontecer, e já se prepara para sentar-se num dos bancos e ficar assistindo, quando José é trazido pelas mãos de dona Otília, que se encarrega de juntar os pares.

A sua satisfação chega a lhe causar um rubor, que um olhar atento não perderia.

O jovem é assunto das moças. Elas estão sempre atentas a todos os passos, atitudes, na expectativa de receber uma atenção maior.

Ana sobe às nuvens...

A dança começa e, no balancê, no caminho da roça, ela tem a oportunidade de sentir a proximidade do seu par, suas mãos se tocando várias vezes. Um leve tremor passa por seu corpo. É a primeira vez que isso acontece.

Após a quadrilha, ao seguirem para o lugar onde estão suas irmãs, há uma breve conversa, sobre o calor, a festa.

Só vai encontrá-lo novamente bem mais tarde, à volta da fogueira, onde vão para ver os trabalhadores da chácara atravessando descalços as brasas, puxadas e espalhadas por um bom pedaço do terreiro.

Entre admiração e palmas, aqueles homens rudes do campo têm seu momento de glória, quando ninguém da cidade se anima a fazer o mesmo, apesar dos constantes apelos feitos por "amigos" e pelos próprios matutos.

José e Ana comentam juntos aquela façanha, analisam os porquês de não sentirem o calor que queimaria qualquer sola de pé dos citadinos e chegam à conclusão que o andar sempre descalço cria uma camada grossa de pele, que os protege.

São momentos divertidos. Mas pouco depois se despedem, pois Senhora já está chamando para voltarem à casa.

Outras ocasiões surgem para novos encontros: na tertúlia dominical, em casa do professor Brasil; na rua, de passagem para o mercado onde faz compras para a mãe; na praça central, quando da apresentação da retreta, no domingo à tarde. Algumas vezes, trocam umas palavras. Percebem que há afinidade entre eles.

Os amigos já cochicham a respeito.

Helena é sua confidente e a anima para os encontros.

Logo chega aos ouvidos do Casarão. Ninguém é contra e há até suspiros de alívio.

– Será que conseguiremos desencalhar a nossa moça? – pergunta Senhora.

– Com essa idade, Vicência já estava casada – pondera Dindinha.

– Acho que vou fazer uma novena pra Santo Antônio: dez terços por dia. O que a senhora acha, tia?

– Rezar, mal não faz. Santo Antônio há de nos ajudar.

Ao tomar conhecimento do namorico do filho com a menina da comadre, os pais de José, principalmente a mãe, dona Sílica, se desesperam.

– Deus nos livre desta sonsa! Não sabe fazer nada! Quero só ver se versejar funciona na hora de governar uma casa, de criar filhos, de cozinhar.

– Vive com a cabeça no mundo da lua!

– "Pau que nasce torto não tem jeito, morre torto!" – diz a sabedoria popular.

Depressinha, cortam o relacionamento, antes que o "mal cresça", e mandam José de volta ao Rio de Janeiro, aos estudos, uns dez dias antes do término das férias.

Quando esse desfecho chega ao conhecimento de Aninha, ela fica furiosa, chora, tranca-se no quarto por horas.

Sua mãe não perde a oportunidade de um sermão:

– Está vendo? De que adianta ficar lendo, fazendo versinhos? Isso não enche a barriga de ninguém, e marido nenhum precisa de mulher literata. Vê se aprende! Que lhe sirva de lição: saber ler e escrever é bom, mas o mais importante é ser boa dona de casa. Versos... Você tem muito a aprender. Versos... Bah!

Chorou o quanto tinha de lágrimas. Rosto inchado, vermelho, olhos empapuçados e a grande resolução:

– Vou escrever poesias sim; vou escrever por todas as desgraças e aflições que terei na minha vida. É isso que eu quero, é para isso que nasci. Não quero me casar e ter um bando de filhos para criar e nem marido para me governar. Eu sou assim e não vou mudar, nem que o mundo desabe sobre a minha cabeça.

Passa ainda dias em grande sofrimento. A expressão no rosto da mãe não a deixa esquecer, por um momento sequer, o ocorrido.

Aos poucos, vai se acomodando e encontrando, cada vez mais, uma grande distração na leitura, que a leva para outros mundos, da fantasia, sim, mas da libertação também. Dedica-se mais à poesia. Presta mais atenção nos versos dos poetas. Aprende a métrica.

Encanta-se com Camões...

Lê Bilac, Tomás Antônio Gonzaga.

Descobre Almeida Garret.

Extasia-se com Gregório de Matos, no seu "Soneto":

"Meu Deus, que estais pendente de um madeiro
"em cuja lei protesto de viver,
"em cuja santa lei quero morrer.
"Animoso, constante, firme e inteiro".

– Deus! Poderei um dia escrever assim?

Ao ler o poema "Uruguai", de Basílio da Gama, que narra a luta entre índios e europeus, entra em contato, pela primeira vez, com os versos sem rima – brancos. Compreende o quanto tem ainda a aprender.

A poesia tudo aceita em formas. O que importa, realmente, é o sentimento, é o conhecimento do fato ou sentido daquilo que se quer escrever.

Novos horizontes, novas janelas são abertas para o seu futuro...

Não é possível desligar-se da casa. Há deveres a cumprir: ajudar na cozinha, pois Florinda – Mãe Preta –, já muito velha, pouco faz; nada que requeira força: engomar e passar a roupa do corpo, costurar um pouco. É de seu encargo, também, cuidar das plantas, o que faz com muito gosto. A irmã Helena é a responsável por doces e quitutes, que confeita como ninguém. Ada ajuda no que pode.

Entre as plantas, encontra identidades: frágeis na aparência e, ao mesmo tempo, vigorosas – aguentam maus-tratos das crianças, sempre a lhes quebrar os galhos, aguentam podas inúteis, ventos, invernos, e nunca deixam de reviver na primavera, enchendo-se de brotos novos, verdinhos, exuberantes. E as flores? Um refrigério para os olhos! Ana a todas elas trata com dedicação. E elas sabem disso, tanto que não se negam a viver sempre belas, despertando a atenção da Casa.

– Ana tem boas mãos para as plantas.

– Dê essa muda que a Aninha cuida. Vai ver como brota logo.

Todos a encaminhar à menina seus vasos tristes, suas plantas amarelas, aquela flor-de-maio que há muitos maios não floresce, suas samambaias desfalecidas.

No quintal, roseiras, cravinas, cravos, cheirosos jasmineiros, um velho pé de baunilha entrelaçado a uma cerca de bambu, vivem carregados de flores, graças ao trato que lhes dá a menina.

Ana gosta. Depois da leitura e da poesia, é o seu prazer maior. Sabe que as plantas só querem carinho, atenção, como as pessoas, para se renovarem e dar de volta o que receberam, em forma de beleza, força e graça.

Aos poucos, o quintal e os vasos são de sua exclusiva competência. Persegue lagartas, fungos, pulgões. Aprende com Dindinha a preparar um líquido à base de fumo picado, posto em infusão em água com cachaça, que ajuda no expurgo. Procura sempre informações sobre plantas nos almanaques e, com o carinho no trato, tem bons resultados.

Vai crescendo entre plantas, livros e poesia.

Passa a ser convidada para os serões literários da cidade, em casa do Dr. Acácio, advogado de grande prestígio, escritor de crônicas que já tem seu espaço garantido no jornal semanal.

Declama poemas de autores conhecidos e, às vezes, sem avisar ninguém, solta um dos seus. É aplaudida, muitos querem saber o nome do poeta. Despista. Procura ajudar dona Mariquinha, que serve licores, sangrias e bolos, e assim escapa de se identificar como dona do poema. Ainda não está segura para tanto. Tem medo da crítica.

Em casa, todos ignoram o que escreve. Não há incentivo algum. Tem que escrever nas horas mortas do dia, na hora em que Senhora, Vó Dindinha e as irmãs se recolhem para a sesta, após o almoço, quando os serviços na cozinha têm uma pausa.

Às vezes, o padrasto, de passagem, pergunta o que tem feito, o que está lendo no momento. Da última viagem que fez pelo interior, trouxe um velho almanaque, com orientações para o cultivo de flores, e um livro de Ramalho Ortigão, *A Holanda*. Entregou à Senhora. Ela que decidisse se era adequada para a menina tal leitura. Depois de um passar de olhos, Senhora entregou-os à Ana.

– Seu padrasto teve a gentileza de trazer esses livretos. Pode ler, mas não se esqueça: a leitura não deve atrapalhar seus deveres em casa. "Primeiro a obrigação, depois a distração." (Senhora é mestre nas máximas!)

Depressa, pega o livro e o almanaque e os leva para o quarto. Volta correndo para terminar os sequilhos que faz com a tia. Só tem pensamento para o instante em que acabar e puder começar a ler.

Sim, o padrasto é o único que não a censura quando a vê debruçada na leitura. Como agora, há um incentivo sutil, através do presente.

Começa a ler logo depois do jantar, antes que a claridade acabe, pois, com a luz bruxuleante da vela, não tem condição.

Holanda! Já sabia da existência desse país; país de gente forte, tirando pedaço a pedaço sua terra do mar e mantendo-o domado pelos diques. País onde "o homem criou o solo que tem e o solo criou o clima".

– Que vontade de conhecer o mundo! Quantos povos, quantas culturas, quanto modos diferentes de viver no nosso planeta! E eu aqui, tão ignorante, tão pequena!

Os dias melhores para o pessoal do Casarão, principalmente para os jovens, são os passados na fazenda do avô Quinquim. Pelo menos uma vez por ano, isso acontece. Lá podem andar a cavalo ou a pé, à vontade. Saem pelos campos, chegam aos limites das terras onde moram alguns empregados velhos, filhos de ex-escravos, conversam com todos; descobrem recantos encantadores, com riachos e pequenas cachoeiras.

A avó Honória já faleceu há dois anos e tio Jacintho ajuda o avô nas lidas da fazenda, período em que começa a decadência.

Aninha acompanha com os olhos o tio, taciturno, dado a sessões de espiritismo. Não conheceu a mulher com quem ele se casou, pois o casamento durou uns poucos dias, tendo ele devolvido a jovem esposa ao pai. Nunca ninguém soube o motivo.

É um personagem misterioso para Ana que, ao mesmo tempo, cheia de curiosidade, tece histórias complexas sobre o que deve ter sido a vida dele, primeiro no seminário, onde tentava a carreira religiosa, até a desistência e o casamento, que não houve...

As lembranças da fazenda estão sempre presentes em Aninha. Lá, ela entende o significado de liberdade, a única que conhece em sua juventude.

Outra época boa é a ida para o Bacalhau – uma vilazinha próxima, ao lado do rio que lhe dá o nome –, onde a temperatura no verão é mais amena devido a sua posição geográfica, que permite ventos frescos. Lá, uma amiga da mãe tem uma casa que empresta à família.

– Vamos tomar ares – anuncia Senhora, nos dias mais quentes.

É um corre-corre de preparativos, e lá vão.

A vida no Bacalhau é mais calma que em Goiás. Na verdade, há apenas uma rua cheia de mangueiras, e as pessoas são amigas, velhas conhecidas.

Aproveita-se o tempo dos cajus para fazer tachadas de doce ou passa de caju, que duram meses.

Aos dezoito anos, Helena, que tem compromisso de casamento com Evandro, sofre um abalo que repercute também em Ana, sua confidente. Evandro falece depois de uns dias de grandes febres – pegou tifo –, e o medo de contágio apavora a todos.

Até que o período de quarentena passe, Helena e Ana são mantidas um tanto isoladas, pois eram sempre as duas a fazer as visitas ao pobre rapaz.

Helena, que já é mais quieta por natureza, se cala de vez; não tem vontade de mais nada, perde o interesse por tudo.

Após aquele período de luto, Ana se torna acompanhante de Ada, que agora, já mocinha, começa a frequentar a casa de amigas, festinhas de aniversários, tertúlias. Já é considerada solteirona – está beirando os dezoito anos. Não se importa.

Na maior parte do tempo, dedica-se às plantas e aos versos.

– Fica escrevendo bobagens que nem dá vontade de ler...

Não tem uma amiga mais chegada para trocar ideias. As de sua idade já estão casadas, com filhos, com outros interesses. Às vezes fica ouvindo o blá-blá-blá de Ada a respeito das amiguinhas, dos meninos. Diverte-se com o entusiasmo da mana preparando-se para sair para uma quermesse ou para a missa. Senhora permite que saia, desde que em companhia de Aninha, pois esta não lhe dá mais preocupação. Com Helena não pode contar, ela não gosta de sair.

Senhora sabe que Ana não tem namorado.

– Quem casaria com essa *dêtraquê*?

Ada aprecia a companhia da irmã, que não a repreende, pelo menos não na frente dos outros. Sempre concorda em ficar mais um pouco quando vão a algum lugar e tem paciência com sua indecisão na escolha de uma fita ou de um par de sapatos.

A mãe a repetir, quando saem às compras:

– "Quem compra o supérfluo vê-se obrigado a vender o necessário."

Ana e Ada sabem do adágio, já estão acostumadas – Senhora é um livro deles, nunca deixa de enunciá-los quando tem oportunidade. Por isso, vão às compras com comedimento – só o necessário, o que não podem prescindir ou empurrar para a frente.

Tenta interessar a maninha para a leitura de algum livro, mas ela é demasiado dispersiva. Não tem paciência. Dificilmente consegue ficar com algum trabalho manual mais que meia hora, quanto mais com um livro. Logo deixa tudo e sai em busca de qualquer outra coisa. Está sempre disposta a ir à rua para compras, para levar recados à vizinha, para entregar alguma quitanda às amigas da mãe, que jamais deixa de retribuir um mimo com outro.

Quando completa quinze anos, Ada é pedida em casamento por Luiz, um rapaz muito ajuizado, estudante de Direito, com futuro. O pai do jovem é um comerciante firme, com vinte anos de estabelecimento, velho amigo de Senhora, que até mantém uma caderneta de compras em seu armazém.

– Casando com Luiz, Ada vai sossegar, vai assentar. Essa inquietude vai acabar. A senhora vai ver, tia.

– Não creio, não creio, mas Deus é grande – conversam mãe e Dindinha.

– Ada está indo para o casamento sem saber as responsabilidades que terá que assumir – considera Aninha.

– Que você sabe sobre casamento? Já casou, já?

– Com essas bobagens na cabeça, veja o que deu: com essa idade e aí, solteirona.

Senhora não perde a ocasião de jogar as reprimendas e Ana, mais uma vez magoada, incompreendida, mais se encasula.

Depois do casamento de Ada, sente-se mais solitária. Nos festejos do enlace, reencontra antigas companheiras de escola, primas que há muito não via. Todas estão casadas, com filhos, e já não sente afinidades com nenhuma.

Por sorte, tem que ajudar bastante no preparo de almoço e sobremesas, servindo os convivas, e o tempo passa rápido, livrando-a da conversa de que sabe não fazer parte, dos olhares de compaixão das amigas, que se acham muito realizadas nas condições de esposas e mães.

A leitura é o seu refúgio. Há livros que leu duas, três vezes. Em muitas ocasiões toma coragem e pede emprestado algum livro ao Dr. Acácio, através de dona Mariquinha. Doutor Acácio aprecia o interesse da moça e, devagarinho, vai encaminhando seu gosto para a boa leitura.

Frequenta os serões mensais em casa do advogado, acompanhada por Senhora ou, às vezes, pelo padrasto. Aprecia imensamente essas noites: sempre há música – dona Mariquinha é exímia pianista – e a conversa é bem intelectualizada, os potins políticos animam a todos, os poetas locais declamam seus poemas.

Senhora, quando comparece, logo se acomoda no grupo separado das senhoras, onde a conversa gira entre receitas, bisbilhotice entre comadres, filhos.

Ana se prontifica a servir os licores, os docinhos, os refrescos e, com isso, aproveita por inteiro a conversa na roda dos homens. Sempre é chamada a declamar poemas, o que faz com grande sensibilidade.

Seus escritos primeiros são encaminhados ao *Jornal Paiz* pelo Dr. Acácio, que acredita nela e a incentiva, e publicados num suplemento que sai uma vez por semana.

Conversas com as irmãs ou cunhado são superficiais, de passagem. Os sobrinhos, a quem tem muita estima, filhos de Vicência (Sinhá, como chamam os de casa), estão crescidos e, assim, se distanciam da tia – preferem estar entre os amiguinhos da mesma idade.

Dindinha, já bem velha, cheia de reumatismo, pouco sai da cama ou de uma cadeira de balanço que tem no quarto. Ana ainda é sua companhia sempre que solicitada para ler trechos dos jornais ou almanaques, dos quais a tia gosta, mas nunca pôde ler.

Em maio de 1910, há um movimento inusitado pela cidade, pelo país, como bem escrevem os jornais, por todas as casas. A conversa é uma só: o cometa

Halley. Muita gente já sabe que um cometa com longa cauda será visível por algum tempo, nos céus.

Na data prevista, todos os olhos vasculham o firmamento do amanhecer ao entardecer, até que, finalmente, começa a se delinear na linha do horizonte os primeiros contornos do cometa. Todos a apontar, a querer que seu vizinho partilhe da descoberta. A cada dia maior vai se tornando, já a cauda bem nítida, brilhando intensamente e crescendo... crescendo...

Nos primeiros dias, a novidade faz centenas de pessoas acordarem fora de hora para poder apreciar melhor, quando do apogeu do cometa.

Muitas pessoas, centenas, refugiam-se em igrejas ou capelas domésticas por horas, rezando terços, orações inúmeras, apelando para todos os Santos. Nunca o senhor pároco teve seu confessionário tão concorrido.

Promessas feitas e não cumpridas são rigorosamente postas em dia; muitos desentendimentos, passados a limpo; amizades, refeitas; contas, saldadas. Tudo porque corre, por todos os cantos, não se sabe de onde e como, a conversa de que, se a cauda, tão longa, encostar na Terra, será o fim do mundo, a catástrofe final: o mundo acabando em fogo, o calcinamento total.

Predições passadas... Nostradamus... Bíblia...

Com o passar dos dias, o cometa começa a se afastar, sua cauda a diminuir, a intensidade da luz a decair. As pessoas a olhar, a comentar, a medir no imaginário o tamanho, a distância, e a respirar aliviadas: não será desta vez o final.

Foram dias de muita tensão, mas também de fraternidade: todos se ajudando, apoiando uns aos outros. O mundo não acaba e tudo volta ao que sempre foi.

Aninha, impressionada, escreve uma crônica a respeito e leva para o Dr. Acácio avaliar e decidir se vale a pena encaminhar ao Professor Brasil, que tem o semanário local. Aprovada por ambos, sai num domingo. Mas ainda aí, a jovem não tem coragem de colocar o seu verdadeiro nome e entabula com o professor a escolha de um pseudônimo, que acaba adotando definitivamente: Cora. Poucos ficam sabendo realmente quem é a autora do artigo, porém são unânimes:

– Está muito bom.

No Casarão, só Dindinha sabe a verdade, assim mesmo após jurar não contar a ninguém.

Senhora, passando os olhos pelo jornal, lê e, se gosta, não comenta nada. Isso não perturba a jovem, já acostumada com o anonimato e que dá por cumprida a finalidade de seus escritos: sua própria satisfação. Seus versos e suas crônicas são a maneira de conversar consigo mesma e com as pessoas que acaso lerem.

Introvertida e tão cheia de vida interior!

Tão ansiosa e, ao mesmo tempo, dominada pelo temor de se expor...

O tempo passando, as coisas sempre na mesma, as pessoas envelhecendo, sobrinhos nascendo e os sonhos continuando sonhados.

Já tem poemas inúmeros. O velho caderno escolar de há muito terminou, outro está no final. Algumas vezes contribui para o *Anuário Histórico* da cidade, para o semanário, com poesias. Acrescenta Coralina ao Cora, pois acha que soa melhor.

É alvo predileto das comadres.

– Aquela não sabe fazer nada. Passa os dias escrevendo...

– Por isso não casa.

– Você já leu alguma coisa que ela escreveu?

– Não li, não quero ler e não gostei.

– Coitada de Senhora! Uma boca inútil em casa para sustentar.

Nesta época, o padrasto, que ainda atende aos seus doentes indo em longas estadias para o norte do Estado, cai doente, com malária, pega por aquelas bandas. Passada a crise pior, chega em casa em tristes condições.

Senhora é incansável. Não descuida um minuto do marido, atenta ao vaivém da febre, com os cobertores secos e limpos toda vez que o tremor febril acomete o corpo doente. Insiste em alimentos fortes, o doutor não pode estar fraco, para vencer a maligna.

– Vamos tomar a canja, José. Tem que se esforçar!

– Agora é a hora da canjica. Não adianta reclamar.

– Olha aqui uma gemada. Fiz do jeito que você gosta.

Devagar vai o doutor melhorando.

Ana passa a dirigir a casa, com a ajuda de Helena, pois Senhora não deixa ninguém tomar conta do companheiro e delega para as duas os trabalhos domésticos. É Ana quem vê o que precisa ser comprado, quem regula o estoque na despensa, quem determina o que fazer para as refeições, quem ajuda Florinda na cozinha.

Vó Dindinha também requer atenção constante, pois não consegue mais sair do quarto, dependendo dos outros em quase tudo. Ada e Helena se alternam para atendê-la.

Por meses, livros e escritos são abandonados completamente. A labuta diária não dá folga e, à noite, mal tem ânimo para um banho, uma oração e cai prostrada na cama, não sobrando tempo nem para pensar. Não tem saído para as tertúlias, para os aniversários. Descuida-se da própria pessoa. Parece que tem o dobro de sua idade: as mãos estão ásperas, cheias de calos, os braços sempre doendo. O ferro de engomar nunca lhe pesou tanto e o calor das brasas, nos dias quentes da cidade, mais aumenta o mal-estar.

Não tem lido os jornais para Dindinha, agora já sem interesse pelos acontecimentos em redor, apenas resmungando que se sente abandonada pela sobrinha favorita, queixando, ora do frio, ora de fome, alheia à doença do Dr. José, das dificuldades da casa. Cobra da sobrinha o trabalho e dedicação que teve por ela. Caduca...

Não é fácil para Ana essa situação, mas a sua mocidade e saúde permitem que faça tudo, sem se queixar.

Quando começa o tempo das chuvas intermitentes, depois contínuas, a umidade pegajosa domina tudo e é nesse período que o estado do padrasto recrudesce. A febre volta com tudo, já não faz efeito o quinino. Após uma semana de luta, seu corpo exaurido descansa para sempre.

É a primeira morte que têm em casa e que as meninas acompanham. Quando Vó Honória faleceu foi na fazenda, e as jovens não estavam presentes.

Para Ana, é um choque. Fita, parada, o catafalco com o féretro do padrasto, montado na sala de visitas. Da porta e janelas pendem sanefas de veludo roxo, com debrum dourado. Em torno do caixão, quatro círios acesos. O cheiro de sebo, a escorrer pelos cantos, a fumaça...

O velório entra pela noite adentro. Família e amigos sentam em volta. Alguns choram, outros cochicham, relembrando as boas qualidades do falecido. O café, a cachaça para os homens, os pães de queijo, são servidos a intervalos regulares. Alguns cochilam...

A mãe, compenetrada, silenciosa, senhora da situação – já esteve duas outras vezes na mesma posição – à cabeceira do morto.

Só com os primeiros raios de sol sai o féretro para a Igreja da Boa Morte, onde o corpo é encomendado. Depois, a longa caminhada para o cemitério, a banda com seu toque triste, o sepultamento.

Senhora, que tudo fez para seu companheiro, arreia. Entra em depressão física tamanha que parece uma sombra vagando pela casa. Apoia-se nas filhas para tudo. São duas senhoras que dependem delas, por inteiro.

Um ano passa.

A mãe recobra sua força, sua energia e, aos poucos, toma pulso das situações domésticas. A tia continua a mesma: ranzinza, resmungona, esquecida.

Ana vai voltando a seus livros, sua poesia. O tempo que dedicou aos trabalhos da casa, com tanta responsabilidade pelo bem-estar da mãe e da tia, administrando os parcos recursos com os quais subsistem, fica para trás. Sua criatividade literária, que parecia morta, volta e cada dia mais se faz presente.

Junho de 1911.

A cidade se enfeita e se prepara para, mais uma vez, festejar o Divino.

É a Cavalhada, uma representação simbólica da luta travada entre mouros e cristãos, quando da invasão moura à Península Ibérica, representação trazida pelos portugueses quando vieram para o Brasil e que, até hoje, é feita em muitas cidades, sendo que, no Estado de Goiás, é bem marcante.

É uma festa masculina.

Os cavaleiros fantasiam-se com materiais nobres: metais, bordados e couro de fina qualidade. Precisam de, pelo menos, dois cavalos que são ricamente ajaezados com a cor escolhida por seu dono.

O enredo é sempre o mesmo: os cristãos ficam no "castelo" ao lado do poente e os mouros se aprontam para a luta do lado contrário. Há trechos de diálogos repetidos, que significam as idas e vindas dos mensageiros de um rei para o outro. A plateia também repete as palavras. Essa plateia é a masculina. Depois, partem as tropas para o confronto. Ouve-se o tilintar de espadas e tiros de festim.

Os assistentes aplaudem, vibram. Sabem que, para aquela encenação, muito é exigido dos participantes em habilidade e destreza. A poeira vermelha toma conta de tudo.

Ao término de cada combate, meninos saem com baldes d'água que são despejados, tentando assentar a poeira e, assim, por horas, se sucedem os combates simulados, quando, finalmente, os cristãos vencem e a paz volta, com o batismo dos mouros.

Não é festa de um dia só. No dia anterior, jovens e velhos vêm de toda a redondeza em seus cavalos, usando roupas coloridas, máscaras – as preferidas são de boi, vaca, caveira, embora também surjam as de pirata e palhaço – feitas em papel machê, muito vistosas como as roupas e enfeites dos animais. Fazem grande agitação, trazendo correrias, gritos, sinos e latas barulhentas, com a finalidade de assustar a população, principalmente as crianças. Eles são vistos em grupos ou solitários, percorrendo os becos e as ladeiras sinuosas, disparando tiros de pólvora, sempre despertando atenção e curiosidade, pois a graça é descobrir quem se esconde por trás da máscara.

Há também uma procissão à noitinha e outra, antes da Cavalhada, perfeito sincronismo entre folclore pagão e religião, onde as meninas saem com suas roupas muito engomadas, uma turma de azul, outra de branco. São distribuídas verônicas e alfinis (doces brancos à base de açúcar com formato de símbolos religiosos) para a população.

Terminada a procissão, todos voltam a suas casas, para um almoço festivo que precede a Cavalhada propriamente dita.

Ana e a mãe comparecem à igreja e, depois, se encontram com Ada e Luiz, que também acompanharam a procissão.

Senhora se distrai com a conversa, e Ana, antes de entrar, para um pouco com duas conhecidas.

– Você já conheceu o novo Chefe de Polícia da cidade?

– Não. Para dizer a verdade, não sabia que tínhamos um novo Chefe – diz Aninha.

– Você não quer que acreditemos nisso, hein? Será a única na cidade que não sabe e que não o viu.

– É sério. Tenho saído tão pouco... Faz uns dez dias que não ponho os pés na rua. Pensando bem, nem à janela estive.

– Oh, Ana! Você não faz ideia o quanto ele tem uma figura bonita, elegante! Dizem que não tem família. Deve ser solteiro!

– Que bom! Com tanta moça no ponto de casar e sem homens solteiros aqui, é mesmo uma boa notícia! Eu não o conheço e, para deixá-las tranquilas, nem estou interessada. Bem, já vou indo, pois vejo minha mãe fazendo sinais. Querem entrar?

– Agora não. Fica para outra hora.

– Até logo.

– Lá vai a nossa poetisa para o seu sótão! Coitada!

Essa conversa não altera em nada a cabeça ou o cotidiano de Aninha. O assunto é esquecido.

Maria Grampinho, Maria Bolo de Arroz, Benedita Cocá (sardenta como ela só), Maria Macaca (carregadora de água da Carioca para as famílias), Peregrino Cofre das Almas (dizem que já roubou o cofre do cemitério), Mané Boi (o tocador de matraca nas procissões), Paulo Badalo (tem um pênis enorme pendurado), são figuras humanas que percorrem as ruas e becos da cidade, conhecidas por todos. Dormem em qualquer canto ou desvão, e as famílias as alimentam.

Maria Grampinho é das poucas que têm um trabalho fixo. É empregada há anos em casa de dona Augusta e do senhor Raimundo, mas sempre teve o costume ("desde que me entendo por gente", diz Senhora) de vir à tarde para o Casarão, onde tem pouso certo. Entra pelo fundo do quintal, fica cantando ou conversando sozinha à beira da bica d'água do porão.

O apelido é por causa do número incrível de grampos que traz prendendo o cabelo luzidio, cheio de ondinhas, penteado com a ajuda de óleos. Há centenas de grampos em sua cabeça.

Todos da casa, acostumados a sua presença diária, não se preocupam com ela. Sabem que só virá dormir, no corredor que liga os quartos à sala grande, quando todos tiverem se recolhido e as velas ou lamparinas estiverem apagadas.

Algumas vezes, alguém puxa prosa com ela, mas as respostas são monossilábicas, o que encerra de pronto qualquer abordagem.

Umas duas semanas após a Folia do Divino, Ana está recolhendo as roupas do varal, no quintal, quando Maria Grampinho chega. Cumprimenta:

– Tarde, moça.

– Boa tarde, Maria. Está bem?

– Assim... assim... Vosmecê pode emprestá um fio de linha e agúia, mode eu pregá um butão na saia?

– Já vou buscar. Espere um pouco.

– Pois é, fui ajudá dona Augusta fazê limpeza pro novo dotô e achei uns butão na casa. Oia que bonito!

Ana é uma das poucas pessoas que lhe dá atenção e com quem fala alguma coisa.

Depois de receber agulha e linha, Maria ainda vê a moça parada e resolve continuar.

– Pois é. O novo dotô tá só. Não tem muié pra cuidá dele. Tá indo armoçá com seu Raimundo todo dia. Parece moço bão, mais sem muié, comu pode?

Depois parte para um sussurro e, daí em diante, a comunicação com a moça acaba. Já está conversando consigo mesma, sem nexo.

"Esse doutor deve ser o Chefe de Polícia", pensa Ana. "Acho que, além dele, não há outra pessoa nova na cidade", diz para si mesma, lembrando a conversa com as amigas.

No sábado, há um sarau em casa do Dr. Acácio e Senhora é insistentemente convidada a comparecer, por dona Mariquinha, que não se conforma com a reclusão da velha amiga.

Senhora Jacintha reluta, mas acaba cedendo e avisa Ana e Helena que irão as três.

Assim, passam a tarde escolhendo as roupas – a menos fora de moda –, limpando manchas amarelas, batendo nas mesmas raminhos cheirosos de alecrim, e engomando.

Às seis horas, logo após o jantar, uma última olhada, recomendações a Florinda para ficar atenta à Dindinha, mãe e filhas saem.

Algumas pessoas já estão em casa do Dr. Acácio, sempre falante, sorridente, cumprimentando a todos com satisfação – adora essas noites de bate-papo inteligente, com poesias e, agora, com muita música, pois, além do piano, é o primeiro a adquirir um gramofone e alguns discos de música clássica, que lhe dão um ar extra, diferenciado. A novidade do gramofone lhe é exclusiva. Sua situação é privilegiada perante os amigos.

Ao chegarem, Senhora e filhas cumprimentam os donos da casa, os amigos, as comadres. Parece que, para esta ocasião, Dr. Acácio convidou mais pessoas que o usual.

Há um grupo formado a um canto da sala de visitas que se abre para cumprimentar as recém-chegadas. Ao centro do grupo, está um homem alto, usando pincenê e lendo uma tira de jornal. Usa bigode bem tratado, veste-se com elegância: terno bem talhado, gravata presa com um alfinete de ouro, abotoaduras trabalhadas e uma corrente pesada prendendo seu relógio ao bolso do colete.

As apresentações se seguem:

– Senhora Jacintha, Dr. Cantídio.

– Muito prazer.

– Igualmente.

– Doutor Cantídio, as jovens Ana e Helena.

– Encantado.

– Muito prazer.

– Doutor Cantídio é o novo Chefe de Polícia, nomeado pelo nosso governador, recentemente.

– Ah! Sim? Já ouvimos falar de sua nomeação. Espero que goste da cidade e se sinta bem conosco.

– Por certo, minha Senhora. Estou encantado com o meu novo trabalho e já me sinto integrado à família vilaboense.

As jovens já estão conversando com amigas que avistam, mas aquele estranho foi bem analisado, em poucos minutos.

– Não é mesmo um homem vistoso, Aninha? – pergunta Helena.

– Sim e tem jeito de intelectual com aquele pincenê.

A conversa se generaliza entre as jovens e as senhoras. Os homens comentam política, as últimas do presidente.

A esta hora já estão em salas separadas, pois as senhoras não apreciam as conversas de negócios e política e se divertem com o diz que diz dos acontecimentos caseiros, das festas, das receitas.

Depois de servidos os licores, as sangrias, os doces, passava-se à tertúlia. Dona Mariquinha tocando valsas ao piano, o professor Brasil declamando monólogos e Aninha convidada a dizer alguns poemas.

Ela já está acostumada a se sair muito bem. Aplausos, cumprimentos...

Doutor Cantídio, que até então não tinha reparado muito no grupo das moças, encanta-se com o desembaraço, com a sensibilidade de Ana e, tão logo tem oportunidade, cumprimenta-a efusivamente.

– Mas, então, a jovem gosta de versos? Que poeta aprecia mais?

– Gosto de todos. Cada um com seu estilo a fazer com que não me canse de lê-los. Tenho aprendido muito com eles.

– E a menina já pensou em escrever seus próprios versos?

– Tenho pensado seriamente nisso...

– Mas já tem alguma coisa escrita, pois não? Gostaria de conhecê-los.

Dona Mariquinha aproxima-se e logo faz apologia das virtudes e qualidades de Aninha, que fica ruborizada, inibida mesmo. Outras pessoas se aproximam e a conversa se generaliza; Cantídio fica sabendo que ela é Cora Coralina, a poetisa da cidade.

As horas passam voando para Aninha, que realmente fica impressionada com o novo Chefe de Polícia, mas sem oportunidade de reatar a conversa interrompida.

À hora da despedida, ainda um aperto de mão, um tantinho mais prolongado.

Senhora Jacintha, às vezes, promove reuniões. Muito raramente. E as meninas, em comum acordo, convencem-na que, por ocasião do aniversário de Helena, faça uma festinha.

Antes dessa festa, para a qual é convidado, doutor Cantídio toma informações com o senhor Raimundo, em casa de quem continua indo almoçar, e fica sabendo a respeito da família, das moças, e não esconde o interesse que lhe despertou Ana. Seu Raimundo percebe logo a situação e não poupa elogios, pois realmente admira a jovem e seus versos e é um dos poucos que os lê, quando saem publicados, sabendo a identidade do autor.

Dias depois, doutor Cantídio ainda tem a ocasião de encontrar as irmãs à caminho da igreja e as cumprimenta de longe.

Senhora capricha para que tudo saia bem em sua festa. Tia Nhorita é requisitada para ajudar a preparar os salgados, nos quais é mestra, e, na cozinha, Lindaura, com a ajuda das meninas, providencia alguns doces em compota e secos. Os licores saem da despensa – já feitos há muito tempo, quando da safra de jabuticadas e pequis.

Vó Dindinha se anima e resolve sair do quarto, preparada para ajudar a receber os convidados, mesmo tendo de ficar sentada em sua cadeira de balanço, trazida do quarto e colocada a um canto estratégico da sala de visitas. Está bastante mouca, mas se esforça para não demonstrar, e também esquecida, o que é compreensível na sua idade.

Aos poucos, vão chegando os convidados: doutor Acácio e senhora são bem-vindos, com sua alegria, sua conversa fácil; dona Otília e seu Agripino; Sinhá, com o marido, Joaquim Jacintho, e as crianças, Nelson, Nhonhô e Ondina; Ada e Luiz; tia Nhorita e um grupo de amigas inseparáveis de Helena. Esperam pela chegada do doutor Cantídio.

Ditinha, cria da casa de tia Nhorita, negrinha esperta e despachada, toda lampeira no seu uniforme com avental engomado, serve bandejas de salgadinhos para os convidados e Ana passa os cálices de licor pelos grupos.

Quando vai para a cozinha em busca de copos e mais cálices, Ana ainda comenta com Helena a demora do doutor. Mas, ao voltar, eis que avista adentrando a porta do meio, o esperado, que chega em companhia de seu Raimundo e dona Augusta. Cumprimenta a todos e logo dá com o olhar de Aninha. Observa-a com atenção no seu empenho de bem servir a todos com simpatia e a todos dirigindo uma palavra gentil.

À moça não passa despercebido o interesse despertado. Mas ela sabe lidar bem com suas emoções. Além do rubor, nada demonstra sua agitação interior. Têm oportunidade de se falarem, sempre junto a grupos. Mas já se deram conta de que têm muito em comum: o amor aos livros, a conversa sobre literatura – "Coisa rara entre a nova geração", pensa o doutor.

A festa segue animada. A partir das nove, começa a debandada. Um dos últimos a sair é o doutor. Acompanham-no à porta Senhora e Ana.

Doutor Cantídio pede licença à Senhora para visitá-las no decorrer da semana, no que é atendido gentilmente por ela que enxerga o motivo do pedido: sua filha.

O assunto da futura visita é interminável.

– Então, Aninha, finalmente um pretendente e, ainda por cima, advogado, hein?

– Que nada. Não vamos "pôr o carro na frente dos bois", como diz a mãe. Apenas virá nos visitar.

Até Lindaura, na cozinha, dá seu palpite:

– Será que ele gostou do licor ou do "zoio" da menina?

– Aninha, trate de se animar! Nada de fingir que não é com você!

Uma emoção muito forte, um medo de nova desilusão, dominam a moça. Todo o seu ser quer acreditar que, enfim, está com um admirador, um candidato a levá-la ao altar. Mas, ao mesmo tempo, no pensamento lógico, vê a possibilidade de nada acontecer.

– O doutor é vinte e dois anos mais velho que eu. Ninguém sabe se já teve família ou se tem. Pode não ser o que pensamos.

– Deixe dessa conversa!

No sábado seguinte, um menino que mora em casa do seu Raimundo vem com um recado: o doutor Cantídio se sentiria muito honrado se fosse recebido pela família, após o jantar.

Pedido concedido.

Ao entardecer, todos já estão à espera, vestindo a roupa mais nova, calçados apertando os pés, cabelos frisados, recomendações dadas, bandeja de xícaras e de biscoitos de queijo arrumada.

O advogado chega com um ramo de flores que oferece à Senhora. Gesto atencioso que é notado e muito bem recebido. Maneiras educadas, gentilezas, são características de boa origem.

A conversa flui fácil. Cantídio, como pede para ser tratado, é muito hábil, sabe o que agrada às senhoras conversar. Sempre que o assunto vai se encaminhando para os pessoais, conduz para a família da Senhora, para os antepassados, para a vida na fazenda de Vô Quinquim, figura humana muito conhecida na região.

Serve-se de café fresquinho e biscoitos.

Ao bater das nove na igreja do Rosário, levanta-se. Agradece a noite encantadora que teve. É convidado a aparecer sempre que quiser.

Ana e Helena o acompanham até a porta.

– Gostaria de encontrar a menina outras vezes. Concorda?

– Sim, claro. Como disse minha mãe, apareça sempre.

– Boas noites e obrigado.

– Boas noites.

– Ele está caidinho por você, Anica – diz Helena.

– Devagar, devagar. Vamos ver o que acontece daqui para a frente.

– Calma, Helena – diz Senhora, que também ouviu o comentário da filha. "Devagar com o andor que o santo é de barro."

Senhora Jacintha está contente arrumando a sala, colocando cadeiras e tamboretes nos lugares.

– Bem, Anica, tudo depende de você. O doutor parece um partidão...

Custa a Aninha conciliar o sono. Todos os pormenores da visita passam por sua memória. Lembra detalhes mínimos, as conversas, os olhares. Arrepia-se toda, treme.

– Estou enamorada?

Custa a dormir. Sonha. Tem pesadelos. Transpirando, acorda várias vezes.

Nos dias que se seguem, encontram-se algumas vezes. Conversam rapidamente. O decoro não permite encontros prolongados estando na rua. Outras vezes, vai Cantídio à casa de Senhora. Numa delas, quando as jovens saem em busca do tradicional café com os biscoitos de queijo, Cantídio tem uma conversa franca com Senhora.

– Creio não ter escapado à Senhora meu interesse pela jovem Ana. Quero pedir-lhe consentimento para cortejá-la. Assim também poderei, atendendo a seu gentil convite, vir mais vezes e, com esta agradável convivência, demonstrar minha afeição a sua filha.

– Muito me apraz seu pedido. Não tenho nada contra o senhor ou seu comportamento, sempre muito agradável e respeitoso. Venha quantas vezes quiser.

E Cantídio passa a visitar com frequência o Casarão, fazendo a corte a Aninha, sob os olhos vigilantes de Senhora.

O zum-zum percorre todos os salões e cozinhas da cidade: “Ana tem um pretendente.”

Certa noite, Cantídio vai à casa do doutor Acácio e, quando estão os dois jurídicos a sós, ele se abre e expõe seus problemas.

– Acácio, você que é um homem sensato, nascido e criado aqui, precisa me ajudar.

– Vamos lá, direto ao assunto. Terei gosto em dar o meu parecer, desde que esteja ao meu alcance.

– Estou com quarenta e quatro anos. Já fui casado. Do meu casamento, tenho três filhos e minha esposa mora com eles no Estado de São Paulo. Quando vim para este Estado, fui morar no norte, querendo colocar algumas centenas de léguas entre mim e o passado. Amasiei-me a uma descendente dos índios Gajajaras, com quem vivi até seis meses atrás e com quem tenho uma filha.

– Que vidinha movimentada, amigo!

– É, mas nada fácil. Pois veja você: eu, que me considerava vacinado amorosamente, me vejo todo interessado na jovem Ana a caminho de uma paixão desenfreada. Que fazer?

– Nada fácil, nada fácil!

– Bem: a família não vai aceitar essa união. É gente bem estruturada, religiosa, cheia de moral, socialmente falando. Usando de franqueza, já que você pede, deixe disso. Esqueça a menina que tem um brilhante futuro nas letras se a elas se dedicar. Volte-se unicamente para o seu trabalho, como forma de esquecimento e, por favor, não me ponha em dificuldades, pois tenho bastante amizade com Senhora Jacintha, a quem admiro.

– Tudo bem, Acácio. Esta conversa é só entre nós. De minha parte, não tenho interesse nenhum em que as pessoas venham a saber.

– Pense bem, amigo. Pediu minha opinião. Aí está, e não falemos mais nisso.

– Obrigado. Vou pensar bastante.

Doutor Acácio matutou vários dias sobre a situação e resolveu conversar com Senhora. Queria mesmo sondar o ambiente. Conhecendo-a bem, sente que o caso pode vir a terminar de maneira a perturbar o ambiente na casa de Senhora Jacintha e, principalmente, ser um rude golpe à Aninha, a quem estima e muito estimula para as leituras e poesias.

Num final de tarde, vindo do Fórum, avista Senhora à porta da rua, despedindo-se da comadre Filó. Para para cumprimentá-las. Filó já está de partida e o doutor Acácio pede para ter duas palavrinhas, em particular, com a amiga, Senhora Jacintha.

Convidado a entrar, encaminha-se para a sala de visitas.

– Senhora Jacintha, gostaria de saber o que acha do nosso Chefe de Polícia. Não é meu desejo intrometer-me, mas, como velho amigo, noto que o interesse dele pela menina Ana cresce e é sobre isso que quero conversar.

– Em princípio, estou satisfeita. Ana já está com vinte e um anos, passa da idade casadoira, e me parece que o doutor é um bom partido. Tive boa impressão quando o conheci em sua casa e, depois, encontrando-o mais vezes, vejo que não me enganei. Anica também demonstra interesse. Por mim, tudo bem.

– Não sei se devo alertá-la...

– Por favor, doutor Acácio. A opinião do amigo é de suma importância. O que sabe e nós não?

– Para ser franco, sei muito. Mas sou discreto por natureza, a senhora me conhece. Vejo, porém, que a harmonia de sua família está em perigo e gostaria de ajudar.

– Sim... Sim...

– Cantídio é um homem vivido. Tem família, da qual está afastado, em São Paulo. Não é um homem livre!

– Ora, pois! Era de se esperar! Como não pensei nisso? "Quem vê cara, não vê coração."

– Nesse caso, não é bem assim: o coração está supimpa, apaixonado pela menina. A razão é que anda obscurecida...

– Tenho que acabar com isso. Vou conversar com Anica hoje mesmo.

– Vai com jeito, Senhora Jacintha. Não tem culpa a menina e nem o doutor. Coisas do coração...

– Agradeço, doutor Acácio. O senhor, mais uma vez, dá demonstração do seu apreço por esta pobre viúva. O resto é comigo.

Sai doutor Acácio, aliviado de um lado e, por outro, preocupado com o que está por vir.

À noitinha, após o jantar, quando a luz não dá mais para continuar a enrolar os cigarros que faz, quando Vó Dindinha já está recolhida, Senhora chama Anica para um canto da sala, acomoda-se num antigo canapé e vai direto ao assunto. Nunca foi mulher de rodeios e não é agora que mudará.

– Soube que o doutor Cantídio não é um homem livre. É casado.

– Mas...

– É. Eu também me enganei com aquela aparência toda, com as atenções e gentilezas.

– Mas será verdade? A senhora tem certeza?

– Posso assegurar-lhe que sim. Quem contou, e não interessa agora quem foi, é de minha inteira confiança. O que temos a fazer é cortar imediatamente esse relacionamento, antes que a verdade se espalhe. Não quero saber da minha família andando pela boca do povo.

– Mas não é possível!

– O máximo que dou a você é a oportunidade de encontrar-se com ele mais uma vez e pedir as explicações necessárias. No mais... esqueça. Não é homem para você. Toma propósito!

Por noite pior nunca tinha passado a menina. A verdade jogada de sopetão dói o quanto não poderia calcular. A cabeça é um turbilhão de imagens, frases, sentimentos. Não consegue dormir, e a madrugada vem ao seu encontro mostrando um rosto dolorido, olhos inchados, vermelhos. Um frangalho...

Levanta-se, veste-se, faz a cama, lava-se. Parece um autômato. Tem que se fazer forte, mas sabe-se lá a que custo!

Quando passa pelo quarto de Dindinha, vendo que ela já está acordada, entra e senta ao lado, na cama. A tia percebe que algo não vai bem – conhece a sua menina – e, nesse momento de lucidez, abraça-a sem nada falar.

É o quanto basta para que Aninha desabe num choro convulso e, aos prantos, conta tudo que acontece.

Dindinha aperta-a mais ao peito, embalando-a, como um dia a embalou bebê. Por muito tempo, permanecem abraçadas, até que o choro cesse.

– São os desígnios de Deus, filha. Você deve aceitar os fatos e obedecer sua mãe.

– Dindinha, Dindinha, como é difícil!

– Traz meu café. Hoje não vou levantar cedo. Depois você estará melhor.

Dindinha afasta a jovem, puxa as cobertas – sente frio – e já passa para o seu mundo, desliga-se do presente, da sobrinha-neta, dos problemas.

A quem recorrer, consolar-se? Aninha não encontra ninguém. Nunca foi de ter confidentes, nem as irmãs, nem amigas, nem o senhor cônego. Seu amor pela leitura e escrita já indica que a solidão é sua companheira constante. A única que a entende um pouco mais é Helena, mas essa, depois da morte do noivo, fechou-se e já não participa dos anseios da irmã como antes. Tem que buscar forças e decisões dentro de si mesma.

À tarde, toma uma resolução: vai procurar Cantídio e ter uma conversa franca e direta com ele.

Conhecedora dos hábitos e horários do causídico, resolve aprontar-se e sair antes do jantar, indo à casa do doutor. É uma temeridade, tem consciência do fato.

Falatórios não vão faltar se for vista entrando. Mas tem que enfrentar a situação. Em sua casa é que não terá liberdade alguma para conversa de tal teor: a mãe e a irmã estarão presentes.

Para à frente da porta. Vira-se para os lados, a querer vislumbrar os vizinhos às janelas. A hora é de preparo ao jantar, de visitas ou simplesmente aproveitar o frescor da tarde, balançar-se em uma rede colocada nos avarandados internos, que quase todas as casas possuem.

Não vê ninguém.

Entra pelo corredor e bate à porta do meio.

O próprio Cantídio vem atender e fica admirado ao deparar com a jovem.

– Por favor, queira entrar. O que a traz a esta casa? Algum problema com sua família? Com você?

– Mais ou menos. Precisamos conversar e eu achei melhor vir até aqui.

Encaminha-a a uma saleta onde tem um escritório de trabalho, estantes cheias de livros da lei, um conjunto de cadeiras de vime.

– Sente-se, por favor. O que se passa? Estou satisfeito por vê-la aqui e, ao mesmo tempo, muito curioso.

– Tenho pouco tempo. Portanto, vou direto ao assunto.

Controlando o quanto pode seus sentimentos e agitação, despeja tudo o que sabe e também da reação da mãe. Está confusa... muito confusa com tudo.

– Cora, tudo é verdade. Não queria que você soubesse desta forma, por terceiros. Eu mesmo, algumas vezes, ensaiei contar a você, mas perdi todas as oportunidades, por covardia, bem sei. Tinha medo de perdê-la e, ao mesmo tempo, sabia ser pior mantendo-a na ignorância.

– Então é verdade.

– Sou separado de minha mulher, com a qual tenho filhos. Moram no interior do Estado de São Paulo. Também vivi com uma mestiça de índios, Maria o nome dela, que me deu uma filha. O amor não vê nada disso. São águas passadas, embora tenham deixado suas marcas.

– E eu, Cantídio? O que represento para você?

– Você é a mocidade que eu busco, que me faz sentir também jovem, entusiasmado. Você é a companhia que me falta e que desejo ardentemente. Eu preciso de você, Cora.

– Cantídio... que situação!

– Sei disso, e como!

– Estive disposta a aceitar o conselho de minha mãe, pondo um basta, um ponto final nesse relacionamento. Mas eu sou fraca e gosto muito de você. Você preenche meus vazios, meus sonhos de moça. Não sei o que fazer agora.

– Não faça nada de que possa se arrepender no futuro. Esperemos esse momento passar. Depois de alguns dias, amadurecido o fato que hoje parece assustador, principalmente para você, conversaremos novamente, como adultos que somos, e decidiremos o melhor caminho. Concorda?

– Sim, penso ser a melhor solução agora. Não tenho cabeça para nada. Parece que um vendaval passou por mim.

– Isso mesmo. Vá agora que já se faz tarde e sua família pode estar preocupada com sua demora. Quando você estiver calma, tiver analisado bem seus sentimentos e tomado uma decisão, seja qual for, venha até aqui. Estarei esperando...

Levanta-se e sai acabrunhada, sem mais a preocupação de ser vista. Faz um caminho mais longo, passando pelo cais do rio, pela ponte do Carmo, onde um casal de enamorados se debruça. Avista uma velha lavadeira que recolhe sua roupa lavada e agora seca, nas grandes pedras da margem. Acompanha a corredeira entre as pedras, agora mansa, na seca – uma mansidão feiticeira que embala os pensamentos, sonhos e realidades da jovem. Acalma-se, relaxa observando as águas que correm. Para onde? Para quê?

Chega em casa, já estão à mesa do jantar. Entra quieta, ninguém pergunta nada, pois sabem, ou pensam saber, o motivo de sua saída àquela hora. Apenas belisca um pouco alguma coisa. Espera que todos terminem a refeição para poder ficar só e pensar... pensar...

Os dias se sucedem sem que Aninha chegue a alguma conclusão. Seu coração, seu raciocínio ilógico, seus anseios, pedem que passe por cima de tudo, dos preconceitos e valores sociais e familiares, e aceite o amor, sem restrições, por outro lado, a razão lhe aponta a realidade nua e crua. Que fazer?

Às tardes passa a dar uma caminhada pela beira do rio. Recolher as roupas – recolher seus problemas. Por que tudo não pode ser simples como os gestos das lavadeiras a lavar, estender, recolher, dobrar, entrouxar, colocar à cabeça sobre rodilhas de panos e levar para casa?

Não chega a lugar algum com sua trouxa de preocupações, tão pesada de carregar, parecendo, sim, uma trouxa de pedras.

Uma tarde, depois de chegar ao Poço do Bispo, de águas cristalinas, inconscientemente passa a seguir o beco da Vila Rica e chega à casa de Cantídio. Resolve tentar alcançá-lo em casa, antes que saia ao encontro dos amigos.

A porta está aberta e, quando vai bater, Cantídio aparece, pronto para sair.

Cumprimentos. Entram.

Ana, num impulso incontrolado, abraça-o e desabafa toda a sua inquietação, sem dar tempo para qualquer reação de Cantídio. As palavras saem com lágrimas borbotando. Abre seu coração como num transe. Liberta-se de todas as palavras jamais pronunciadas, sempre reprimidas pelo bom-senso, pela imposição de educação.

Depois, acalma-se e Cantídio a leva ao canapé.

– Agora, Cantídio, o que você me diz? Que caminho seguir?

– Você abriu seu coração, portanto vou ser tão sincero quanto posso. Devo ter mais experiência que você, pois, como sabe, já não sou um mocinho. Muitos anos nos separam. Você poderia ser minha filha.

– Não importa. Jamais pensei assim.

– Eu sei, mas ponderemos juntos: casamento não posso lhe propor. Estou loucamente enamorado também. Seria correto que você viesse morar aqui comigo, enfrentando toda a sociedade, sua família? Teríamos coragem para tanto? Para os homens, você sabe, as coisas são mais fáceis. Um homem como eu, com meu cargo, desde que se decida a viver com você, maritalmente, continuaria a ser respeitado e recebido por todos, embora não contando com a aprovação de muitos. E você? Teria seu lugar preservado na sociedade? Com certeza não. Se bem conheço as pessoas e também esta cidade, você seria considerada uma mulher sem princípios morais e, portanto, indigna de conviver com famílias respeitadas como a sua, a do doutor Acácio e todas as outras...

– Por que não deixamos a cidade por um lugar bem longe, onde possamos levar nossa vida juntos?

– Meu trabalho...

– Você é, antes de tudo, um advogado, e todas as cidades precisam de um ou mais.

– Fui nomeado pelo governador. Tenho compromissos com ele. Mas é algo a ser ponderado. Que tal amadurecermos sobre isso?

– Sim, é melhor. Mas lembre-se de que eu o amo e estou pronta a enfrentar tudo, até esta cidade!

– Como você é corajosa! Cada vez mais cresce minha admiração!

– Apenas sou um ser humano, frágil, porém apaixonado. O amor dá forças!

– Deixemos os dias seguirem seu curso. Pensando bem, venha sempre que tiver vontade, pois já não posso ir à sua casa com Senhora Jacintha na oposição.

– Sim. Ela jamais aceitará outras vezes suas visitas. Ou mesmo que eu o veja. Mas virei, sempre que puder. Até breve, meu querido.

– Até...

Depois, muitas vezes, Ana retorna à casa do amado. A intimidade vai crescendo entre ambos, facilitada pela ausência de criados, que o doutor não tem. Apenas duas vezes por semana. Sinhá Balbina, uma ex-escrava muito velha, que mora com um casal amigo lá pelos lados do morro do Zé Mole, vai faxinar, lavar e engomar.

Aninha sente-se cada vez mais envolvida. Já não se preocupa com a vizinhança, que pode vê-la entrando, nem pensa no falatório quase certo.

Em casa, Senhora não concorda, de modo algum, com o que acontece, temendo pelo que possa vir. Não perde a oportunidade de repreensões e citações, tão a seu gosto.

– "Pau que nasce torto, não tem jeito, morre torto."

Cantídio aguarda sempre ansioso pelo aparecimento da menina. Entrega-se ao encanto da jovem, à sua conversa sempre ponderada e culta. A cada dia, o relacionamento proporciona ocasiões mais favoráveis a carinhos, afagos, beijos, que vão num crescendo inevitável até levá-los ao amor físico.

Neste dia, Aninha exulta, apesar de estar dolorida, um tanto decepcionada com o ato em si, que não lhe deu prazer físico nenhum. Ao mesmo tempo que se torna uma mulher, pensa nas consequências que virão e tem um breve calafrio, imediatamente percebido por Cantídio, que a mantém nos braços. Conversam longamente, ainda enrodilhados. Cantídio compreende o que se passa e trata de esclarecer, explicando a ela o que acontece na primeira vez e prometendo que, com o tempo, também apreciará o ato, não haverá dores, estará mais relaxada.

Foram longe demais e concordam que a hora da tomada de posição é chegada. Terão que enfrentar os fatos: moram juntos, ali na cidade, assumem seu amor, ou partem para longe? Às escondidas não querem mais viver.

O pior é que Ana não pode contar nada em casa. Tem de seguir sozinha ou com a presença apenas de Cantídio, para tomar um rumo. Protela... Já não escreve. Alguns livros que tem para ler nem são tocados. Todo o tempo é para pensar no seu amor, nos momentos que está ao lado dele, na ansiedade de novos encontros.

Arranja desculpas para sair à tarde, quase sempre. Está difícil disfarçar frente à família. Descuida-se um pouco das atenções que dedica à Vó Dindinha, que reclama delas. Com as irmãs, não conta: nunca foram suas confidentes.

Pelo começo de outubro, quando sua menstruação não aparece, fica preocupada. Procura saber com a irmã mais velha, casada há muito tempo, como percebeu que estava grávida de seus filhos. Vicência fica admirada por Aninha estar com essas perguntas, coisa jamais havida entre irmãs ou amigas – algo tão íntimo! Mas não deixa de responder corretamente.

– O primeiro sinal é a interrupção do incômodo. Dos dois primeiros filhos, tive muito enjoo logo pela manhã, embora de Ondina não tenha sentido nada.

– É assim para todo mundo?

– Pelo pouco que sei, é. Por que tanta curiosidade?

– Por nada. Como você diz: é apenas curiosidade.

No meio da semana, quando encontra Cantídio, comenta o que está acontecendo. Tem certeza da gravidez.

Muitas vezes, ele já havia pensado na possibilidade disso acontecer, mas sempre afastava o pensamento. Agora é o concreto e, como tal, tem que encarar.

– Bem, minha querida, é o momento de tomarmos nossa deliberação. Você está disposta a vir morar comigo? Estar com você é o que mais desejo e não é agora que fugirei à minha responsabilidade.

– Há possibilidade de sairmos daqui? Quero dizer: você deixar seu cargo, irmos para outro lugar?

– Terei que falar com o senhor governador, pedir exoneração. Não poderei explicar o motivo real deste pedido, mas também sei que ele não porá empecilhos. Talvez precise de alguns dias para esperar a escolha e posse de um novo Chefe de Polícia. Penso que, em um mês, estarei completamente livre e pronto para partirmos.

– E para onde seria?

– Conheço bem o Estado de São Paulo, onde estudei e morei muitos anos. É o melhor lugar para começarmos a vida juntos. Você está disposta?

– Sim, e o período de um mês me dará oportunidade para conversar com minha mãe e preparar minhas coisas sem afobação.

Ana sai dali certa de que é inevitável sua mãe tomar conhecimento do que acontece por ela própria. Será uma conversa difícil, pois nunca foi capaz de expressar assuntos tão pessoais com Senhora e, pensando bem, com ninguém. Não faz parte da convivência, do relacionamento familiar, tocar em certos assuntos. Não é de bom tom certas conversas. O comum é "fechar-se em copas".

Uma tarde, quando estão as duas somente, na sala de costuras, Aninha respira fundo e resolve aproveitar a oportunidade.

– Mãe, como a senhora bem sabe e sei que não aprova, continuo a me encontrar com Cantídio. A senhora chegou mesmo a me proibir, mas eu estou enamorada e não fui capaz de obedecê-la.

– Não quero falar sobre isso. Seu comportamento tem me aborrecido bastante e dado motivo para muita falação na cidade...

– Mas a senhora tem que ouvir. É muito sério o que tenho a dizer.

– Sério? E você pensou em seriedade quando me prometeu romper este romance, coisa que não cumpriu?

– Desculpe, mãe, eu errei sim, mas agora tenho algo pior a comunicar.

– Pior? O que pode ser pior?

– Estou grávida e...

– O quê? Repita, para eu ouvir direito.

– Estou grávida. Devo estar com dois meses.

– Absurdo! Filha minha não pode ficar grávida sem estar casada! Isso não acontece com moça direita!

– Peço sua compreensão. Aconteceu e eu não tenho argumentos para me desculpar.

– Céus!

– Cantídio está pronto para assumir a paternidade e pensamos em viver juntos.

– Viver juntos? Sem casar? Aqui, na nossa cidade? Onde vou pôr a cara? É o caos... É o caos...

– Vamos ter que enfrentar tudo e todos. Não vejo outra solução...

– Sai daqui agora! Deixa-me só para poder assimilar essa desgraça.

– Mãe...

– Basta! Sai! Conversamos mais tarde, embora minha vontade seja expulsá-la desta casa.

Senhora Jacintha está em choque. Não quer acreditar no que ouviu. Sua filha, tão ajuizada, "embora viva no mundo da lua"... Como pode?

Vai à janela para refrescar um pouco. A rua está deserta nesta hora de calor escaldante. Nem as lavadeiras estão na sua labuta, fazem uma pequena sesta à sombra da velha e centenária figueira, que sombreia uma ponte no rio.

Cenas familiares, as crianças ainda pequenas. O controle que Vó Dindinha exerce sobre elas e sobre a casa. A figura senhoril do pai na varanda do casarão na Fazenda Paraíso ("Graças a Deus, não está vivo para saber disso!"). Sua vida, seus casamentos. Tudo passa rápido por sua lembrança. Sua Anica, "a intelectual", como a trata pejorativamente, nesta situação que a deixa aturdida.

Resolve procurar o doutor Cantídio e, sem mais delongas, mandar um recado pela cria da casa, Joana, para que apareça ao cair da noite.

Ao jantar, avisa Ana e Helena que não quer vê-las por perto quando receber o advogado e que não se aproximem da sala de visitas nem para servir um café, como é de praxe.

Aninha teme o que pode acontecer, pois conhece bem a prepotência de Senhora em certas ocasiões. Helena, que nada sabe, interroga a mana com o olhar, sem resposta.

Vó Dindinha, em seu quarto, sentada na cadeira de balanço colocada perto da janela, nada percebe e pede a presença da predileta Aninha para companhia, para relatar os acontecimentos da cidade, contar sobre as amigas, tão poucas, que ainda possui. É um grande sacrifício para a jovem fingir que nada de anormal acontece na sala e contentar a idosa tia. No momento, não tem coragem de se abrir, como sempre soube, com a tia. Talvez mais tarde, quando tiver decidido seu caminho.

Tia Nhorita é irmã de Senhora Jacintha e vive perto, uma quadra adiante.

Quituteira de mão cheia, costureira renomada. Não há festa sem doces feitos por ela. As verônicas de açúcar, alvíssimas, que bem definem o espírito religioso goiano, distribuídas ao povo na festa do Divino, são obras de tia Nhorita. Quando alguém da família precisa de um traje especial, é a ela que procura.

Casada, não tem filhos, mas "adota" todos os sobrinhos e a todos dá atenção, hospeda em sua casa, quando necessário, agrada-os. Um bom coração. O marido, comerciante, sempre às voltas com o armazém, adora ver sua casa cheia, num entra e sai contínuo.

Muitas vezes, Senhora já deixou uma das crianças com tia Nhorita, quando teve de ir à fazenda só por uns dias. A saúde abalada de Vó Dindinha não permite que deixe a ela todos os encargos da casa.

Sempre é festa quando as meninas têm que passar uns dias com a tia. A fartura que reina é motivo para qualquer criança adorar, além do carinho dispensado pela tia.

Com o crescimento das meninas, a tia também se torna um pouco confidente, principalmente de Sinhá, como é chamada Vicência. Mas é com Vó Dindinha que Ana se abre um pouco.

Com o passar dos anos, tia Nhorita, cada vez mais é parte indispensável do "Conselho em Família" em casa da irmã e, por isso, não se surpreende quando é convocada para aparecer após o jantar.

Ao chegar à casa da mana, tia Nhorita a encontra toda aprumada – nem sinal das meninas, constata – como a esperar uma visita. Sabe que não é a dela, pois há bastante intimidade entre elas que nunca precisam se enfeitar para os encontros. Nem dá tempo para sentar e já palmas fortes, à porta do meio, indicam a chegada de mais alguém. Senhora vai atender e recebe o visitante, indicando-lhe a sala de visitas e também faz um sinal à irmã para que os siga.

Cantídio nem precisou pensar duas vezes para saber o motivo da convocação, quando recebeu o recado à tarde. Tem certeza de que o momento e o assunto serão difíceis, mas inadiáveis, e se prepara com calma para o que virá.

Senhora, não sendo mulher de meias palavras e nem de rodeios, após terem se acomodado nas cadeiras de palhinha que formam círculo, perto da janela que dá para o rio, vai direto:

– Pois, então, o doutor desonrou minha filha, hein? Que pretende agora, pode-se saber?

Tia Nhorita, que, absolutamente, não contava com aquilo, queda-se caladérrima, olhos arregalados, atenção redobrada, testemunha do momento mais importante e decisivo da vida da sobrinha, onde seu futuro e sua vida estão sendo discutidos como se discute uma compra, uma barganha, no balcão de negócios do marido, onde sentimentos de amor e compreensão são esquecidos e apenas o material é avaliado.

– Como a senhora sabe, sou casado. Realmente, sinto-me o único culpado, pois, com minha vivência, não poderia jamais macular este relacionamento, pois prezo muito sua família, sua filha. Mas já foi feito e não fugirei à minha responsabilidade.

– E que alternativa me oferece para devolver a honra à minha família e à minha filha, se o casamento não pode acontecer?

– Conversei bastante com Ana e propus vivermos juntos. Assumo a paternidade e ficarei responsável por ela, pois amo sua filha.

– Pois eu tenho outra proposta. Viverem aqui, em Goiás, será uma afronta à nossa sociedade, aos nossos amigos, à família. Proponho pormos um fim que, penso, será melhor para todos. O senhor irá embora, deixará a cidade, nosso Estado, e nunca mais verá ou procurará ter notícias de Anica.

– Senhora...

– Sou bastante religiosa para não admitir uma união sem a benção de Deus e a fazenda de meu pai será um bom refúgio até o nascimento da criança. Depois resolverei o futuro dela. Minha filha não pode se transformar em motivo de escárnio da cidade. Nossa família não será crucificada se tudo correr como penso. Mas o senhor sairá o mais breve possível da cidade e nunca mais quero ter notícias suas.

– A senhora é muito drástica. Não seremos o primeiro casal a viver juntos sem a bênção da Igreja e todos aceitarão nossa união.

Cantídio transpira por todos os poros. Tia Nhorita, ainda apalermada, só ouve.

– Não na minha família, doutor. Ou em qualquer outra família respeitável que eu conheça. Se antes eu fiz uma proposição, agora tomo a decisão: o senhor partirá, e não se fala mais nisso.

Cantídio sente que é inabalável a postura de Senhora. Sua decisão não será mudada, não agora, pelo menos. Lança os olhos sobre tia Nhorita, como a pedir apoio, mas nada recebe em troca.

O silêncio pesa na pequena sala. Os móveis parecem tornar-se ainda mais rústicos; as cortinas pesadas, corridas sobre a janela fechada; tudo amorfo, impessoal, quase sepulcral. Os corações estão trancados, a sensibilidades mortas, as palavras inúteis.

Levanta-se o doutor, pega seu chapéu e sua bengala encastoada de prata, abre a porta e sai, sem nada mais dizer. Sente-se o vazio.

Permanecem as duas senhoras, ainda quietas, em suas cadeiras, por mais um instante, como a se libertarem de fantasmas.

Tia Nhorita, ainda não acreditando em tudo que testemunhou, tem os olhos lacrimejando. Já Senhora admoesta:

– "Não adianta chorar sobre o leite derramado", mana. Conto com você para acompanhar Anica até a fazenda, tão logo o doutor parta. Teremos uma ótima desculpa para a ida de Anica: não se conforma com a separação e necessita afastar-se da cidade, quer se isolar. É isso! Não tenho dúvidas. É o melhor remédio.

Tia Nhorita se despede ainda atônita, pondo-se à disposição da irmã. Aguardará o chamado. Antes, porém, promete guardar segredo, como Senhora pede. Nem ao marido contará nada.

Casos como o de Aninha, às vezes, acontecem. A cidade não poupa ninguém, não aceita, não esquece. Uma moça que caia em desgraça pouco falta para ser caluniada e, não há dúvida, é rejeitada, é repudiada, as amigas fogem "como o diabo da cruz". Um hanseniano talvez não seja tão evitado quanto uma jovem desonrada.

Senhora sabe muito bem disso. Ela mesma jamais manteve amizade com quem quer que estivesse nessa situação. A sociedade é cruel, "pondo cada um no seu lugar", como dizem as pessoas, nunca dando apoio, compreensão. Espírito cristão? Qual! "Aqui se faz, aqui se paga", lembra Senhora.

Na manhã seguinte, Aninha é chamada pela mãe que a põe a par do decidido e não aceita ponderações, lágrimas, nada. Fato consumado.

– Prepare-se para partir discretamente e boca calada. Ai de você se comentar com quem quer que seja a sua gravidez!

– Mãe...

– Calada! Retire-se para o quarto e fique por lá, longe das minhas vistas.

Outubro já chega ao fim.

Aninha é como uma alma penada, caminhando pelo Casarão, arredia, pensando o tempo todo no que fazer para mandar e receber recado de Cantídio. Não tem notícias dele há dias.

Finados aproxima-se. Será a primeira e, talvez, a única ocasião para entrar em contato com o doutor, pois é o costume da casa comparecerem ao cemitério para limpar o mato, tirar a sujeira acumulada nos túmulos dos familiares e, no dia 2, levar flores e assistir à missa na capelinha ao lado.

Pensa e repensa no que fazer. Escreve um bilhete: "Estou angustiada, meu querido, mas fortalecida no amor que lhe dedico. Tenho certeza que só serei feliz com você e estou disposta a fugir e partir para onde você quiser. Marque o dia e hora, que estarei esperando. Da sua, Cora."

Guarda o bilhete no corpete que sustenta o busto e reza para que consiga um portador de confiança que o leve a Cantídio.

O dia começa com todos da casa carregando baldes e escovões e uma enxada, com a qual a negra Florinda carpirá o mato, indo para o cemitério. Encontram muitas pessoas amigas na mesma labuta. Todos têm "causos" a comentar, coisas a contar, futricas a fazer. Passa rápida a hora e, lá pelas nove, já está tudo em ordem, limpo, areado, pronto para receber as flores no dia seguinte.

Quando vão saindo, atravessando o portão, Aninha avista Maria Grampinho. Como não havia pensado nela? Afasta-se do grupo e vai ao seu encontro. A mãe, sempre vigilante, de nada desconfia, pois sabe que Ana é das poucas pessoas que dão atenção e conversam com Maria. Pede a Maria que entregue o bilhete para o doutor quando for a hora do almoço, que ele ainda comparece à casa do seu Raimundo. Coloca ligeira o papel no bolso do vestido da portadora e sai aliviada. Como receberá a resposta é coisa com a qual se preocupará o próprio Cantídio.

O dia de Finados chega. Alguns parentes que moram na Fazenda Paraíso vêm passar o dia na cidade, visitando os túmulos de Vô Quinquim, Vó Honória, Mãe Yayá. Depois da missa, vão para casa, para o almoço. Só no frescor do cair da tarde, retornarão à fazenda.

Senhora Jacintha tem uma conversa reservada com o irmão. Avisa da ida da jovem Ana para uma temporada no campo. Não é possível omitir a razão desse procedimento e conta a verdade, pedindo discrição. O irmão promete e concorda. Cuidará de tudo o que puder.

Senhora está à espera da partida do doutor, pois soube, por dona Augusta, que ele apenas aguarda um substituto, pois o governador já o liberou do cargo. Tudo caminha como planejou e está satisfeita.

À tarde, quando os tios já voltaram à fazenda e a casa modorra, depois de um dia movimentado e muito quente, Maria Grampinho vai chegando com sua trouxa, seus badulaques, seus resmungos ininteligíveis. Aninha, que esteve atenta, vem andando pelo quintal, olhando as plantas, assim como quem não quer nada, até chegar perto de Maria.

– Você entregou o bilhete ao doutor?

– Entreguei, nhá, sim.

– Ele falou alguma coisa?

– Depois dá resposta.

– Só isso?

– É, é, isso aí.

Bom, pelo menos ele recebeu. Agora é só esperar, assim sai pensando a moça.

Ao café da manhã, Senhora avisa Aninha que, ainda este mês, ela irá para a fazenda.

Responder o quê? Se ao menos tivesse notícias de Cantídio...

Desacorçoada, passa a maior parte do tempo no quarto, juntando seus escritos, relendo alguns que tanta alegria lhe deram e que, agora, parecem nada dizer, nada representar. Não tem vontade de voltar a escrever, não se sente inspirada. O coração está em compasso de espera. Esperando o quê? O amor? A separação? Que futuro?

A única coisa que a distrai é estar com Vó Dindinha, ler para ela novelas dos almanaques, o jornal, responder sobre a vida das amigas da tia e, no mais, cala-se. Não quer magoar a tia com seus problemas.

Ainda não tem consciência de sua gravidez. Seu ventre continua liso, embora sinta o busto maior, um arredondamento nas ancas, que não tinha. Não fica menstruada, o que é até um alívio, pois sempre sofreu com as cólicas, nas primeiras horas, que a deixavam prostrada.

Helena desconfia de alguma coisa, mas não sabe bem o quê. Tenta fazê-la interessar-se, falando sobre festas, amigas comuns, mas, no fim, desiste. Ana se fecha num mutismo sem precedente, e nada a faz mudar.

Florinda e Joana, na cozinha, comentam o ar triste da menina, desconfiam que há alguma coisa entre ela e o doutor. Ficam nas conjunturas, nas suspeitas, nos argumentos, hora de uma, hora de outra, duvidam, imaginam e não chegam a nenhuma conclusão.

Dias depois, olhando pela janela, para o lado do rio, Ana vê Maria Grampinho chegando, balançando sua saia larga, cheia de botões, seu andar arrastado nas chinelas. Vai dar uma volta na rua para pegar o beco do fundo da casa por onde entra para o quintal. Ao ver a jovem, acena: coisa incomum. Aninha logo percebe que há novidades e se dirige para o pomar, esperando por ela. Custa Maria a aparecer, pois parou para retrucar desacatos que crianças lhe dirigem no começo do beco.

– Arre, Maria, que demora! Trouxe notícias?

– Tá'qui.

Tira do bolso sujo um envelope que põe na mão de Ana. Pega ligeiro e sai tropeçando pelo lajeado que fica perto da bica, quase cai, mas a urgência que sente para ler o bilhete não a deixa reparar em nada. Busca o refúgio tranquilo do porão, perto da janela gradeada que dá para o rio, de onde muitas vezes, na meninice, pescou alguns cascudos e lambaris.

Desdobra o papel e lê: "Tudo certo para nossa partida na madrugada do dia 25. Esteja pronta, com pouca bagagem. Seu, Cantídio."

Seu coração parece que vai saltar fora do peito. Sua cabeça roda. Senta-se no beiral da janela para não cair; tem uma rápida vertigem. Logo passa o mal-estar, mas só se levanta depois, procurando se acalmar e raciocinar.

Tem certeza de querer unir-se a Cantídio, seja onde for, desde que longe da cidade. Seu amor dará forças para levar avante o plano de fuga, a enfrentar o que escolher, com o homem que gosta ao seu lado.

Vai arrumando suas coisas, pondo ordem em seus cadernos cheios de poesias, os livros que tem, costurando algumas roupas, lavando e engomando, o que muito agrada Senhora, que pensa estar ela aceitando plenamente a separação e a ida para a fazenda.

Ao sair para fazer compras no mercado, acompanhando Florinda, olha com atenção redobrada para as velhas ruas estreitas, quebradas, desiguais, para os becos sujos e tristes, para as pontes que cruzam o rio. Cumprimenta passantes; relanceia os olhos para os armazéns; sente o cheiro dos varais de carne a secar ao sol; e cheiro dos cajus impregnando todo o mercado; o odor quente e gostoso do fumo de corda, enrolado, exposto pelos vendedores: o mais fino – melhor –, o mais grosso – popular. O bom fumo goiano! Despede-se, intimamente, de tudo. Não faz a mínima ideia de quando tornará ali. Quer captar cada detalhe, cada cheiro, cada pedra dessa cidade que a viu nascer e que nunca pensou em deixar. Os morros a circundar a cidade; o rio, agora calmo, depois da enchente que teve no começo do mês e que levou de roldão tanta sujeira, tanta caixa de madeira, picuás vazios, trapos de roupas, cascas de frutas. O povo joga tudo nele, tudo o que não quer mais, como se fosse a lixeira da cidade. Pobre rio: o despejo das casas. Felizmente, agora limpo, com suas lavadeiras às margens, tagarelando enquanto batem roupa ou esperam secar estendidas em pedras ou sobre os são-caetanos.

Aproveita os últimos dias e visita as irmãs, Sinhá e Ada. Revê os sobrinhos que tanto estima. Passa uma tarde todinha em casa de tia Nhorita, ajudando a fazer brevidades e bolos de arroz que um molecote sai a vender em tabuleiros cobertos com alvos sacos de açúcar, agora enfeitados com bicos de crochês, trabalho de Joana, e que tem fregueses certos: algumas famílias os compram para acompanhar o café e também o pessoal das bodegas costuma tê-los debaixo de filós no balcão; a porta do Liceu é lugar certo de venda.

Tem vontade de escrever o que sente nesses dias, mas não quer se arriscar a que alguém leia. É verdade que não há interesse pelos seus versos em casa, mas tudo pode acontecer... Guarda para si a expectativa da partida; o medo do desconhecido que a espera, embora saiba bem que assim o quer; o inédito do grande passo que mudará completamente sua vida.

A mesmice do cotidiano não a aflige, ao contrário, dá paz agora que tomou a decisão. Tudo é preparado, bem pensado e pesado. Apenas aguarda o sinal.

Na tarde do dia 24, quando Maria Grampinho chega, depois de passar seu dia em casa de dona Augusta, Aninha vai ao quintal, pois pressente que terá notícias já que, há dias, espera por elas. Não dá outra: o bilhete sai do bolso de Maria e encontra outra mão. Vai para o porão e lê: "Às quatro da manhã estarei pronto, no beco do fundo de sua casa. Espero-a. Abraços do seu Cantídio."

Agita-se. É chegada a hora. Nem passa por sua cabeça desistir. Sabe bem o que quer. Vai ao quarto de Vó Dindinha, fica com ela um pouco. Prepara o jantar da tia, leva numa bandeja.

Não tem vontade de comer, mas não pode levantar suspeitas e faz força para algumas garfadas. Ouve os comentários da mãe sobre sua ida, breve, para a roça, onde o tio a espera. Procura interessar-se pelas prosas de Helena e aguarda a passagem das horas. Nada mais tem a fazer a não ser esperar.

Quando se recolhem, cada qual com sua lamparina acesa, a caminho do quarto, queda-se à janela e percebe que uma chuva fina começa a cair. Ainda não se ouve no telhado, é bem fraquinha, mas já se sente o ar mais fresco. "Talvez tenha chovido bem na cabeceira do rio e agora este frescor está chegando aqui", pensa, olhando para o escuro, apenas ouvindo o rio a correr, o coaxar constante dos sapos. Tudo negro, muito negro.

Suas coisas estão separadas no baú de couro, um baú que, sabe, não está pesado, pois terá que carregá-lo sozinha até o beco.

Mais uma vez, mentaliza se não esqueceu nada do essencial, se não leva coisas supérfluas. Helena já dorme. Constatando isso, deita-se vestida. Pega, antes, mais um agasalho que não tinha separado e veste-o, calça meias e deixa os sapatos à mão. Dormir, nem pensar. Ouve os badalos da igreja do Rosário: nove batidas, meia hora. Dez batidas, meia hora. Onze batidas, meia hora. Cochila um pouco, acorda sobressaltada. Que horas serão? Meia hora bate na Igreja. Meia hora do quê? Faz força para não entrar em pânico. Alívio: duas batidas, meia hora. Três batidas, meia hora. É o momento.

Ouve a chuva no telhado, agora mais forte.

Um frio corre seu corpo. É a temperatura que baixou mesmo ou é nervoso? Puxa o agasalho, fecha-o ao peito. Calça os sapatos. Pega o baú com seus pertences e, pé ante pé, passa pelo quarto de Vó Dindinha, que faz ligação com o seu e cuja porta sempre permanece aberta, caso a tia precise de alguma coisa, a que ela atende. A tia dorme tranquila, observa. Sente um aperto no coração. Abre a tramela da porta que dá para a sala de refeições. Atravessa o corredor e, devagarinho, sai a caminho do quintal, afastando-se de Maria Grampinho, que dorme o sono solto na soleira da porta de Senhora. Respira fundo quando se vê fora, perto da bica. Apesar do frio, abaixa-se e joga água no rosto. Enxuga as mãos na saia, levanta o baú e trilha o caminho tão conhecido entre as goiabeiras e mangueiras, evitando as pedras maiores que delimitam o caminho. O portão do beco, fechado apenas com uma tranca, está ali – o último baluarte a separar seu caminho para uma nova vida, para o amor, "para sabe-se lá o que vier", pensa.

A chuva fria molha sua roupa, seus pés, mas nada sente. Passa o portão. Tem certeza de que Cantídio está a sua espera. Não dá outra: lá está ele, com uma longa capa, chapéu de feltro na cabeça. Abraça-a, sem nada falar. Pega seu baú, protege-a com outra capa que trouxe.

Ao fim do beco, uma tropa com quatro burros, dois com as cargas, agora mais um baú amarrado a outro. Saem trotando pelas vielas. Ninguém à espreita. Quem poderia sequer imaginar quem passa pelas ruas àquelas horas, em madrugada de chuva?

Cantídio vai à frente, puxando por correias os dois animais com a carga, e Ana segue atrás. Enrolada à capa, protegendo-se da chuva fina, persistente, vai levando o animal num trote seco, duro, mas agora já mais tranquila: "O passo foi dado. Agora é tocar em frente. Que Deus me ajude."

À saída da cidade, volta-se para uma última despedida. Sua terra, sua gente, suas ruas estreitas, tantas vezes cruzadas, tão desiguais... No alto, a igrejinha de Santa Bárbara, marcando a paisagem. O rio... levando suas águas, lavando a cidade, carregando suas lembranças...

Só após terem deixado para trás os últimos casebres é que Cantídio para um pouco, perguntando se tudo vai bem. Responde com a cabeça positivamente e, então, prosseguem. Quando a claridade é total, a chuva diminui e logo cessa por completo. Já estão cavalgando há duas horas. Aproximam-se do Bacalhau, a algumas léguas de Goiás, e, antes do vilarejo, param na chácara de um amigo do doutor, onde já são aguardados para o café e troca de montaria.

Seu José é conhecido de Cantídio e sente por ele um grande respeito. Quando teve um caso de divisa de terras com um vizinho, viu-se acuado por elementos armados e recorreu ao Chefe de Polícia, que solucionou a questão mandando chamar o invasor e tendo uma conversa direta e ameaçadora com o mesmo.

Na ocasião em que Cantídio decidiu deixar Goiás com Ana, avisou o amigo que ia precisar de dois cavalos bons de marcha e que estaria na Chácara lá pelas seis horas da manhã do dia 25. Mais não mandou dizer porque tinha certeza de que seria atendido pelo sitiante.

Com as roupas molhadas, apeiam das montarias. São imediatamente conduzidos ao velho casarão, enquanto um empregado cuida de arrear a carga e conduzir os animais a um cercado.

Ana e Cantídio são levados para trocar as roupas por outras, secas, e se recompor. Depois, voltam à sala, onde um café substancioso os espera. Uma cria da casa carrega as peças molhadas para estendê-las ao sol.

Cantídio não esconde nada do seu José: o porquê de sua passagem ali, acompanhado de Aninha. Apesar de espantado, o dono da casa é gentil e discreto. Não os importuna com perguntas embaraçosas, o que os deixa à vontade.

Após o café, saem os dois homens para escolher os cavalos que vão seguir dali para a frente: animais de marcha, acostumados a montaria e longas caminhadas. Os burros de carga serão os mesmos. Os dois que sobram ficam ali, como uma troca. Os arreios são colocados nos animais: sela para o doutor e silhão para Aninha. Andar a cavalo sempre foi uma constante em sua vida, pois, na fazenda do avô, sempre os teve e, embora a ida e a volta se fizessem em carros de boi, pelas terras do avô o cavalo era o usual.

Por ali ficam umas duas horas. Quando as roupas estão secas e guardadas no baú, um farnel de alimentos e cantis de água acrescentados à carga, despedem-se do anfitrião e partem com a intenção de só parar quando o sol estiver no ápice e o calor desta época do ano não os aconselhar a prosseguir. Aí, então, vão descansar, tomar uma refeição e só seguir ao entardecer, aproveitando o frescor da tarde.

As terras que atravessam estão feias. A vegetação, depois de um longo estio, ainda seca, pois o período das chuvas, atrasado, mal começou. O gado, magro, anda pelos pastos, procurando os primeiros verdes que apontam. É uma região pedregulhosa, a Serra Dourada próxima.

A chuva que tiveram ao sair de Goiás não passou por ali e a poeira levanta com o trotar dos animais. Redemoinhos de vento são constantes, levantando mais poeira.

Cantídio agora cavalga ao lado de Ana e conversa sobre seus planos. Com isso, a viagem é mais suave, o tempo passa mais depressa. Quando o calor fica insuportável, escolhem um lugar perto de um riacho, à sombra de pés de pequi nativos.

Apeiam, aliviam os animais da carga. Encaminham-se para o riacho, onde bebem água límpida e fresca, lavam rostos e braços para se refrescar e tirar a poeira. Deixam os animais beber à vontade. Só então Cantídio os prende a uma das árvores enquanto Ana retira dos farnéis a galinha assada, os pães de queijo, a rapadura que trouxeram da casa do seu José. Comem com prazer. Depois, Aninha guarda o restante e se recostam nos troncos caídos para o descanso necessário.

Aquietam-se os dois. As cigarras cantam por todos os lados. Os animais, presos por longas correias, ficam a pastar, à procura de moitas de capim.

Um cochilo gostoso toma conta de Aninha. Cantídio apenas repousa, atento à respiração da moça, vigiando os animais, espantando algumas abelhas jataí que aparecem.

Por meia hora foi o sono de Aninha. Acorda descansada. Toma um bom gole d'água. Está desperta, pronta para partir, mas é Cantídio quem aconselha a que esperem um pouco mais, pois o sol ainda castiga forte.

– Cora, a minha filha, que tem agora dois anos, vive com a mãe, como você já sabe. A situação delas é difícil, mesmo eu ajudando algumas vezes. Agora mesmo, elas estão em Itaberaí, em casa de parentes, mas Maria, a mãe, muitas vezes manda recado para eu ficar com a menina. Não foi possível até agora, mas é o momento de tomar uma deliberação, pois, indo para São Paulo, não sei quando terei outra oportunidade. Quero saber o que você pensa sobre isso.

A moça sabe desses fatos há bastante tempo. Nunca Cantídio escondeu nada, mas não havia pensado na possibilidade de vir a criar a menina.

Pede detalhes da criança. Cantídio esteve tão poucas vezes com ela, depois que se mudou para Goiás, que quase nada pode acrescentar.

Ana é uma pessoa prática, apesar de "viver no mundo da lua", como querem seus parentes, e além de tudo é muito cristã.

– Se você quiser, concordo em levá-la conosco. Teremos muitos filhos, se o bom Deus permitir, e essa menina será bem-vinda.

– Que bom que você aceita! Um grande peso me sai da cabeça. Apesar de ter estado pouco com a pequena, sinto muito amor por ela, e sei que ficará bem conosco.

– Você tem certeza de que a mãe não se oporá?

– Ela já me pediu para eu tomar conta da pequena.

Tem a saúde abalada, quase não pode trabalhar, e o fato de viver com parentes agrava mais a situação. Ficará grata a você, por ter concordado.

– Está bem. Pegaremos a menina em Itaberaí e levaremos conosco. Farei o possível para criá-la e educá-la bem.

– Tenho certeza de que será assim – diz Cantídio, aliviado.

Ainda permanecem ali mais algum tempo, conversando sobre assuntos pendentes, como a fixação da cidade em que irão morar. A ideia inicial é chegarem a São Paulo e Cantídio se comunicar com antigos companheiros da Faculdade do Largo São Francisco, onde se bacharelou, e avaliar calmamente onde e como se estabelecer: no serviço público ou montar seu próprio escritório de advocacia.

– Em princípio, penso que o interior será melhor para vivermos. A vida é mais calma e tudo é mais barato, do alimento à habitação.

– Como são as cidades paulistas?

– Geralmente contam com um comércio bem sortido, têm médicos, Santa Casa de Saúde, escolas públicas. As que conheço têm uma sociedade muito simpática e acessível aos que chegam.

– Assim espero, de coração – murmura Ana.

– Podemos prosseguir agora, Cora. O sol já não está tão quente. Até à noitinha, estaremos em Itaberaí ou nas proximidades. Está disposta?

– Sim, estou descansada e vamos aproveitar para nos adiantar.

Os animais são recarregados e encilhados. Partem. Cantídio sempre puxando os cargueiros pelas correias, às vezes na frente, outras vezes atrás da moça. Conversam pouco.

O campo, a perder-se de vista, com a vegetação rasteira, típica do cerrado, tem a sombra apenas dos pequizeiros que ali crescem nativos, dos cajueiros do campo. Vez por outra, pequenos pastos, de pequenos sítios. Já estão muito longe da Serra Dourada, seus contornos há muito desapareceram. Pássaros não faltam: os joões-de-barro, em suas casinhas na forquilha de galhos dos pequizeiros, voam por todo canto, bicando os frutos que amadurecem. Ali, um constrói seu ninho, trazendo o barro no bico, sinal de que, próximo, há um riacho com terra argilosa. Adiante, um ninho caído no caminho. Bem que dá vontade de olhar por dentro, mas não é hora para isso. O tsiu-tsiu, pequenino, saltitando no topo de troncos mortos, alegrando o espírito dos viajantes. Bem-te-vis a chamar, a conclamar: bem-te-vi, bem-te-vi... Ana fica imaginando se não estão conversando com ela. Pássaros-pretos, em voos rasantes, à procura de grãos perdidos nas roças próximas, barulhentos.

O dia é longo, agora que se aproxima o verão. O sol ainda está alto quando Cantídio olha para o relógio que traz no colete e diz serem seis horas. Para um instante para encher os cantis num córrego que atravessa a picada, correndo sobre pedras. A jovem molha o lenço e passa pelo pescoço, pelos braços. Está pronta para seguir.

Uma hora mais tarde, começam a avistar mais roçados, um casebre, outro mais.

– Estamos próximos. Itaberaí está logo depois daquele morrete – grita Cantídio à frente.

– Já não é sem tempo. Estou começando a me sentir entorpecida.

As primeiras casas da vila estão à vista. Novo alento invade Aninha.

Pouco depois, trotam os animais, com seus viajantes, pela rua que corta a cidadezinha de ponta a ponta. Cantídio indica uma pensão, onde pretende ficar.

Ao chegarem, passa as rédeas dos animais a Aninha e desce para perguntar sobre as acomodações e possibilidade de ali pernoitarem.

– Pode descer. Vamos ficar aqui – diz, ao voltar com um molecote.

Os homens descarregam os animais, que são levados a um pequeno estábulo, nos fundos da pensão.

Aninha é encaminhada pela dona da pensão a um cômodo bastante espaçoso, onde, em seguida, entra Cantídio puxando os baús e as selas. A um canto, uma bacia de cobre com seu jarrão de água, sobre um tripé de ferro. Toalhas rústicas, mas muito limpas. Uma ampla cama de casal, com alvos lençóis. Dá uma boa impressão ao casal.

– A janta já foi servida, mas posso arrumar um prato de caldo e pão feito aqui mesmo.

– Ótimo. Estaremos na sala de refeições em meia hora – diz Cantídio.

Lavam-se. Aninha troca a blusa empoeirada por outra, limpa, e já saem para a frugal refeição que nunca lhes pareceu tão boa, depois de um dia longo, cansativo, em que a comida fria do farnel foi o único alimento.

Após o jantar, sentam-se um pouco à porta da pensão a conversar com outros hóspedes. Alegando cansaço, Aninha pede licença e ergue-se. Cantídio a acompanha.

É sua primeira noite juntos, "minha verdadeira noite nupcial", pensa a jovem.

Cantídio também se dá conta do momento e, naturalmente, vai se despindo e falando dos planos que tem para o dia seguinte.

– Logo cedo, deixo você aqui e vou procurar Maria, em casa dos parentes que sei quem são. Vou esclarecer a situação e propor levar a menina. Você não precisa estar comigo, se expor. Quando tiver uma definição, volto e conto tudo.

– Haverá dificuldades?

– Tenho quase certeza de que não. Mas tudo é possível... Vamos ver...

Aninha, toda pudor, inibida, vai se trocando com vagar, defendendo sua nudez. Embora Cantídio já conheça o seu corpo, ela ainda não consegue sentir-se à vontade. Coloca logo o camisolão, antes de tirar a saia, as peças íntimas. Solta os cabelos, que escova rapidamente, e salta ligeira para a cama, enquanto Cantídio sai do quarto, por um instante, à procura da fossa sanitária.

Quando retorna, apaga o lampião que coloca ao seu lado, no criado-mudo, com a caixa de fósforos perto. Deita-se ao lado da jovem, abraça-a com força, brinca com seus cabelos, beija seu rosto, fala coisas sussurradas, sem nexo, e, lentamente, cuidadosamente, a possui.

– Como é bom ficar assim com você, não ter que levantar, aprontar e sair como em Goiás – diz Ana, depois do amor.

Sente-se verdadeiramente casada. Não pensa em nada que ficou para trás. Só o futuro agora interessa.

Acordam com o aroma gostoso do café sendo coado que penetra pela janela semiaberta.

Cantídio levanta-se e insiste para Aninha continuar repousando, enquanto dá andamento ao que programou: entender-se com a mãe de sua filha.

Aninha concorda e, por mais uma hora, dorme sossegada, até que os rumores próprios da pensão começam mais fortes: passos pelo corredor, baús raspando na parede, vozes apressando o molecote que ajuda a transportá-los.

Levanta-se. Veste a mesma roupa da véspera – não sabe quando terá tempo para lavar as que sujar –, lava-se com água do jarro, penteia-se e sai para o quintal para ir à latrina.

Depois, avista a dona da pensão que a cumprimenta e convida para chegar à grande mesa coletiva, onde é servido o café e que tem mais duas pessoas também hospedadas ali. Trocam algumas palavras cordiais, cada um comendo mais apressado que o outro, preocupados com a partida, com negócios, pois são caixeiros-viajantes.

Sem saber o que acontece com Cantídio, e também sem nada poder fazer além de esperar, vai até a porta da rua ver a cidade: uma rua comprida, com armazém, um armarinho, casa de carne, padaria, funerária e a Matriz ao fundo. Crianças a caminho da escola, compenetradas, com suas tábuas de escrever, levam capanga com merenda nas mãos. Um caboclo, tocando sua besta de cangalha, leva lenha rua acima. Outro entrega leite em garrafas e pequenos latões. Animais velhos, cansados, lerdos.

Por um momento, lembra sua cidade, sua casa. Que estará acontecendo por lá? Qual terá sido a reação da família com sua ousadia? Não adianta querer adivinhar e nem faz diferença, agora, qualquer coisa que tenha acontecido.

– Olha para a frente, comanda sua cabeça.

Resolve dar uma arrumada no quarto e deixar tudo pronto para quando Cantídio chegar. Logo, ouve a voz dele, conversando com alguém. Depois, umas batidinhas na porta, que abre. Sorri, tranquilizando.

– Está tudo certo. Fiquei de pegar a menina às três horas, quando já estivermos prontos, saindo. Aproveitaremos para adiantar nossa viagem. Teremos tempo suficiente para chegar ao pernoite, no pouso de Itauçu.

– Que bom! Ainda tenho tempo de separar algumas roupas do baú, tê-las mais à mão, e evito abri-lo a cada parada. Avisou a mãe da menina sobre as roupinhas que temos de levar?

– Sim, está tudo bem. Fique tranquila. Reparei que a garotinha é acomodada e Maria assegurou-me que não é chorona. Está com boas cores, sinal de saúde.

– Nunca perguntei o nome dela. Qual é?

– Guajajarina. Quis fazer uma homenagem à tribo da qual Maria é descendente. É uma tribo originária do Estado do Maranhão, cujo grupo veio pelo rio Araguaia e se fixou no norte deste Estado. Guajajaras é a nação indígena.

– Bonito nome, embora um pouco comprido. Diferente, melhor dizendo.

– Bem, o que você gostaria de fazer agora? Temos tempo até a hora do almoço.

– Já estive na frente da hospedaria. Poderemos chegar até o larguinho da igreja e também devemos providenciar algum biscoito, uma quitanda, mais um cantil, caso a menina tenha fome e sede.

– Então vamos.

Saem a andar. Cantídio, antes, vai ao estábulo, verificar se os animais receberam capim e água.

Compram as coisas e mais uma rapadura. Conversam com pessoas que encontram no armazém. A manhã passa rápida.

Depois do almoço, servido às dez horas, como é de costume, recolhem-se ao quarto para a sesta. Quando acordam, acomodam os alimentos num alforje, fecham os baús. O molecote, alertado, aparece para ajudá-los a levar tudo para o estábulo. Paga a pensão, animais carregados, montam e trotam rua abaixo. Avistam rostos na janela de uma das últimas casas. Uma criança sorri no colo da mãe; aparecem à porta. Pouco falam. A menina é colocada no colo de Aninha, que nem desmonta. Despedem-se com um aceno.

A pequena distrai-se com os animais, com passarinhos que vê. Fala pouco; embalada no trotar do animal, adormece. Aninha ajeita-a melhor ao colo.

O sol se pondo na linha do horizonte. Uma viração gostosa no cair da tarde ameniza a temperatura. Não está longe Itauçu. É um arraial pequeno, pouso certo de boiada. Procuram um albergue para passar a noite e tomar uma refeição. A ideia é sair pela madrugada.

Cantídio conhece a região e explica a Aninha que ainda terão que passar por Inhumas, um arraial, e, se der, chegar a Morrinhos no mesmo dia. É uma boa puxada, mas se saírem cedo será possível.

A pequenina não dá trabalho algum nesse primeiro dia de viagem, o que anima Aninha. Aceita tudo, sem reclamar. Nesta noite, dorme entre ambos.

A rotina de levantar-se ainda no escuro, cavalgar o mais possível, antes do calor forte do meio-dia, aproveitar o entardecer para chegar ao próximo pouso, está sendo seguida à risca. Mesmo assim, não conseguem chegar a Morrinhos no dia desejado. Têm que fazer mais uma parada num pouso de boiadas chamado Aparecida.

Enfim, Morrinhos, onde descansam por um dia. Reabastecem-se. Pernoitam em hospedaria com algum conforto. Tomam novo alento.

Quando pegam de novo o estradão carreiro, encontram uma grande boiada, um tropão, um mar de chifres de guzerá, como observa Aninha. Vem com grande acompanhamento de peonagem, uns quarenta para mais de mil cabeças. Vêm vindo das terras dos goiases, levando para Barretos, nas terras de São Paulo. Seguem sempre, como Cantídio e Ana, o corredor da linha telegráfica.

Desviam-se à direita, pois a boiada vai lerda, cuidadosamente zelada para não haver nenhum estouro, e ultrapassam, bem mais à frente. Vão cumprimentando os peões. O comissário dessa boiada é um caboclo forte, bem falante, com quem trocam algumas palavras.

– Se ocêis precisam de lugá pra pernoite, o meió é Buriti Alegre. Nóis custuma fazê poso no banhado du coroné Zeca, que tem terra de alugué. Além de garpão, tem ranchão avarandado, que logu ocêis dá fé. Ele pode dá poso procêis também.

– Obrigado. Vamos chegar lá – diz Cantídio. – Até mais.

– Até.

Durante o dia, desaba um aguaceiro. Refugiam-se numa grota do ribeirão Mimoso. Cantídio tira, rapidamente, as capas que estão enroladas e presas às selas. Coloca os animais debaixo de uma grande figueira, perto, amarrados ao tronco, e ali ficam por mais de um quarto de hora, até que passa o pé d'água. Depois, acomodam-se novamente sobre as selas e prosseguem.

Bem tarde, avistam Buriti Alegre. Logo dão de cara com o mangueiro descrito pelo boiadeiro. Procuram o coronel.

– Podem arriar, tem acomodação, desde que não arreparem no desconforto.

Desmonta Cantídio, que pega a menina no colo e ajuda Aninha. O quarto dá para a varanda do rancho.

Há ganchos para as redes. Eles não trouxeram, mas o coronel aparece com elas, largas, limpas, observa Aninha. Depois de descarregar os cargueiros e desencilhar os cavalos criolos que montam, procuram se lavar, dar um banho na menina, fazer as necessidades. Um grande urinol está a um canto; depois, é só ir despejar no mato.

Aninha, com rapidez e precisão, vai dando conta de tudo.

– "Não vamos tirar o pai da forca", Cora. Vá com calma. Temos tempo. Enquanto você cuida das coisas aqui, vou ver se consigo leite para a menina e janta para nós. Vi umas vacas no pasto.

Mais tarde, quando olha pela janela, avista o cozinheiro da boiada com o ajudante, os mesmos que encontraram à saída de Morrinhos. Eles vêm na frente dos companheiros para preparar a comida da peonagem jejuada. Descem os "trens" de cozinha dos cargueiros, armam a trempe para colocar os panelões de ferro pendurados, acendem um fogo esperto. Carne salgada, arroz de tropeiro, farinha, pimenta-de-cheiro. Um aroma gostoso se espalha pelo ar.

Bem mais tarde, é ouvido o sonido do berrante, ponteando a boiada. Uma poeira vermelha encobre o horizonte. Mais um pouco, a escuridão será como um breu.

Chegam. A porteira do mangueiro está aberta. O comissário se coloca para recontar a boiada. Já anoitece de vez quando termina. Só então o gado é solto no pasto – capim-jaraguá dos bons. Vão os peões para o galpão, lavam-se no "corguinho", dependuram as redes e voltam ao terreiro, onde a comida pronta os espera.

Aninha, que esteve conversando com a mulher do coronel, recolhe-se. Acomoda a criança ao lado, cuidando para que não caia.

Cantídio bate papo com a peonagem, com o coronel. Conversa à toa: mulher, o assunto preferido, histórias da mula sem cabeça. Uma viola é dedilhada. O cheiro dos cigarrões de fumo goiano dominando, o jogo de truco, barulhento.

Aos poucos, a animação de fora vai se afastando, se afastando... Os olhos de Aninha se fecham. Um sono só. Nem se mexem, Ana e a menina.

Acorda na madrugada, com o aboio dos vaqueiros juntando os animais. O cheiro do café adoçado com rapadura exala da improvisada cozinha tropeira.

Alimentam-se, juntam as tralhas.

– Agora só vamos parar em Itumbiara, na divisa com as Minas Gerais. Os vaqueiros também seguem este caminho. Quando chegarem lá, vão pegar os campos gerais do Triângulo Mineiro e nós seguiremos para o outro lado, para Araguari, para o trem de ferro.

O comissário da boiada ainda vai esperar pela culatra, que vem vindo devagar, retardatária, uma marcha atrasada, com bois machucados, estropiados, mancando alguns. Só depois alcançará o ponteiro.

Ana e Cantídio cavalgam junto ao cozinheiro, que vai à frente da tropa. Ele conta "causos", inventa o que não sabe, é uma distração, com seu linguajar peculiar. O ajudante, ainda jovem, tange os cargueiros, até os de Cantídio, que se vê mais aliviado e vai, assim, estimulando a conversa com o caboclo. Só apeiam na encosta da Serra dos Lemos, onde faz ponto o cozinheiro para preparar o rancho dos que chegam mais tarde.

Antes que os vaqueiros cheguem, já se despedem Cantídio e Ana. Itumbiara, à beira do grande rio Paranaíba, é a meta para esta noite.

O Desafio de São Paulo

Paranaíba, rio-mar para Aninha. Avista a ponte pênsil, ligando os dois Estados. Precária, com vigas largas, a única passagem disponível. Gado atravessa mais abaixo, numa parte rasa, meio nadando, escoiceando, assustadiço, fala Cantídio.

É pela ponte mesmo que vão.

– Adeus terras de Goiás – pensa Aninha, olhando para trás. – Toca pra frente, sempre pra frente.

Em Araguari, chegam no sétimo dia, desde a saída de Goiás. Aí, Cantídio vende os animais e arreios. Descansam por todo um dia. Só no outro dia vão tomar o trem.

Ana já se acostumou com Guajaja e esta com ela. Velhas canções de sua infância, ouvidas de Vó Dindinha, ou de Joana, vêm à lembrança de Aninha, que canta, distrai a menina, embala seu sono.

Cantídio está sempre próximo, atendendo às pequenas necessidades das duas, atento para não cansá-las demais com tantos dias viajando.

O trem é uma novidade para a jovem. Para chegar ou sair de Goiás sempre foi preciso usar montaria ou carro de boi. A estação da estrada de ferro é muito movimentada. Homens apressados, carregando ou descarregando mercadorias dos vagões que só são abertos nas estações. Os carros de passageiros, com assentos de madeira: duas fileiras separadas por um corredor, com dois lugares colocados lado a lado. Acima das cabeças, uma espécie de jirau para a bagagem. Pressa, muita pressa. Um apito forte. Vai saindo devagar, a sacolejar ritmado.

Aninha abre a janela de vidro para observar melhor a cidade que vai se distanciando.

– Cuidado com as fagulhas. Não ponha a cabeça para fora. Essas fagulhas vão se desprendendo da madeira queimada na máquina que puxa os vagões e produz vapor para tal – alerta Cantídio.

Aninha desce o vidro. Recosta-se. A menina está quietinha no seu colo. Respira fundo. Nova etapa da viagem. Está mais descansada, sente-se bem. Olhar para a frente sempre, acreditar na sua capacidade de vencer percalços, pensa.

A cada duas horas, mais ou menos, o trem para e recebe novos passageiros, deixando outros. É reabastecido de água e lenha. As estações sempre cheias. Molecotes gritam, oferecendo quitandas, broas, água, frutas.

Cantídio compra sempre alguma coisa para comer. A criança aceita tudo. Brinca com as pessoas ao lado, faz amizade fácil, recebe um doce aqui, um pastel ali. Tagarela com todos: difícil é entender sua prosinha sem nexo. Todos são gentis, afáveis.

À noite as luzes elétricas são acesas, outra novidade. Acabaram-se os lampiões, as lamparinas. O teto do carro tem vários focos de luz amarelada que, às vezes, perdem a intensidade, parecendo que vão apagar. Só bem mais tarde da noite, quando a maioria dos passageiros dorme, algumas lâmpadas são apagadas e só duas permanecem acesas. Há também um cubículo, ao fundo, que fica fechado, onde existe uma latrina e uma cuba com uma torneira d'água. Sempre tem alguém esperando a vez de entrar, alguns por curiosidade e a maioria por necessidade mesmo.

Aninha acomoda a menina espichada no banco, com a cabecinha no seu regaço. Cantídio sentou em outro banco que desocupou. Cobre a pequena com a capa e também se recosta ao vidro da janela. Tenta dormir. A agitação toda do dia, a preocupação com o bem-estar da criança, o balanço do trem, tudo age como sonífero agora que as coisas se acalmaram. Breve dorme a sono solto. Algumas vezes, percebe a chegada às estações que estão pelo caminho, mas procura não tomar conhecimento e continua seu sono.

Na manhã seguinte, acorda com o pessoal que começa a se movimentar, arriando malas alguns, indo à latrina outros. Guajaja ainda não acorda.

Cantídio avisa que já estão no Estado de São Paulo, mas que chegarão à capital só no fim da tarde. Dois dias e uma noite toda de viagem. Já atravessaram o rio Grande, que Aninha não viu.

O dia transcorre bem. A paisagem agora é mais de lavouras de café. Arroz e milho também são avistados.

As cidadezinhas mais próximas umas das outras, com mais paradas.

– Parece que comemos o tempo todo, Cantídio.

Aninha, agora, descasca laranjas para si e para a menina.

– Não há muito para fazer na viagem, é por isso mesmo.

Conversam com os companheiros de viagem, trocam ideias. Muitos estão indo para São Paulo a negócios ou passeio. Comenta-se dificuldades e facilidades encontradas ali.

Guajaja, com seus passinhos trôpegos, caminha pelo corredor, ajudada por uma menina de seus dez anos que a "adotou". Faz xixi na calcinha, vem para trocar, corre, ri, brinca.

À tarde, cinco horas, o chefe do trem, que várias vezes passa para conferir os bilhetes de passagem, vem gritando:

– São Paulo, São Paulo, daqui a meia hora. Não esqueçam seus baús, seus volumes.

Uma excitação toma conta de todos no vagão. Arruma-se cabelos, junta-se os pertences, verifica-se a bagagem, chama-se as crianças, procura-se desamassar as roupas com as mãos. Troca-se nomes e endereços, despede-se de amigos recentes.

Ana, à janela, avista as primeiras casas, as ruas da periferia, mal traçadas. A fumaça do trem entra forte, pois as janelas estão abertas, com todos a admirar os contornos da cidade, a maior que jamais viram. Tantos sonhos, tanta fantasia, tanta expectativa trazem para este mundo novo!

Há meia hora estão viajando dentro dos limites da cidade. Agora, o trem vai parando... parando...

"Estação da Luz", anuncia uma placa branca com letras azuis.

Movimentam-se todos. Cantídio encarrega-se da bagagem que passa pela janela a um carregador que está na plataforma. Ana, carregando Guajaja, vai, aos poucos, caminhando apertada pelo corredor para a porta de saída. Cantídio desce em seguida. Seguem o carregador, que leva tudo em um carrinho de mão, atentos para não o perderem de vista, e se dirigem à grande saída da estação.

– Cruzes! Que estação enorme! E que movimento!

– Vamos, vamos. Cuidado com a pequena.

Fora, caleches levam passageiros para seus destinos. Cantídio dispensa um que se aproxima. Conversa com o carregador.

– Você sabe onde é a rua dos Gusmões?

– Sei. É perto. Podemos ir andando. Posso levar tudo até lá.

O endereço da pensão familiar, como lhe asseguraram, é muito conhecido por caixeiros-viajantes e famílias do interior.

Caminham pouco, umas duas quadras. O prédio tem boa aparência, com janelas altas e largas, para a rua. Entram. O dono, um português forte, bem falante, os recebe. Leva-os para um quarto espaçoso, ao fundo, dando para o quintal.

– Aqui não ouvirão o barulho da rua. É muito bom.

Cantídio paga o carregador, que deixou baús e pacotes já dentro do quarto.

Ajeitam as coisas. A pequenina brinca, sem incomodar.

– Aqui ficaremos uns dias. Portanto, você pode arrumar como quiser. Seu Manuel vai providenciar um berço ainda agora.

A pensão é completa, oferece três refeições ao dia.

– Leite para a criança, quando quiser temos na cozinha, já fervido, diz Piedade, esposa do senhor Manuel.

– Obrigado. A menina já come comida de sal. Mas também bebe bastante leite. Vou procurá-la, quando precisar.

– Cá estamos ao seu dispor.

Ana abre seu baú e acomoda as roupas da criança e as suas numa grande cômoda, com amplos gavetões.

– Ainda bem que estou tendo uma gravidez boa, sem os enjoos que Sinhá falou. Também, disposição para o trabalho não me falta. Quase não senti desconforto nessa viagem.

– Muito bom, muito bom. Vamos ter uns dias para repor as energias, até que me decida quanto à cidade em que iremos morar. Depois, então, estaremos em paz. É com seu bem-estar a minha preocupação.

– Obrigada. Sei que posso contar com você, caso contrário não estaria aqui.

Procurar seus antigos colegas de faculdade é o objetivo imediato de Cantídio. Quer saber deles, que nunca saíram do Estado, as possibilidades das várias regiões paulistas, indagar das oportunidades de entrar no serviço público como delegado ou promotor.

Passa fora os dias que se seguem, só retornando à pensão à tarde.

Aninha vai se organizando, pondo horário na alimentação, no tempo de sono da menina. Leva-a a passear pelo Jardim da Luz, grande, bem sombreado, onde amas-secas uniformizadas ou senhoras pomposas, em vestidos de brocados e rendas, desfilam seus bebês, encontram amigas, tagarelam. A cidade imensa a oferecer mil surpresas, a cada esquina.

As novidades são festa para seus olhos. São Paulo tem luz elétrica nas ruas desde 1872, quando os lampiões de gás foram abandonados. As casas também. A água na pensão corre pelos canos, levada para uma casa de banho comum a todos os hóspedes. Há água quente para o banho: nos fogões à lenha existem serpentinas por onde a água passa e fica aquecida. Ainda existem latrinas fora, no quintal, mas dona Piedade conta que já estão sendo instaladas dentro das casas, com descarga de água que leva a sujeira para fossas ou para os canos de esgotos que passam enterrados nas ruas. Na pensão, tão logo possam, vão mandar instalar.

Uma vez por semana, próximo da estação, tem feira popular, com frutas, verduras, aves, porcos, móveis, utensílios domésticos. Vendedores apregoando sua mercadoria aos berros. Vaivém de pessoas apressadas, empregadas empertigadas, com suas cestas para as compras, molecotes carregando caixas cheias de frutas e verduras para as "donas". "Melhor que uma festa de quermesse", pensa Aninha.

Dona Piedade, com seu enorme coração, bem português, torna-se sua amiga e conselheira. Dá até conselhos para a educação e criação da pequena. Oferece pequenos mimos, ajuda a cuidar. Tem sempre um sorriso, uma palavra boa.

Na primeira quinzena de dezembro, chuvas abundantes desabam sobre a cidade: enchentes, barro, galhos de árvores caídos. Ana a olhar pela janela.

Cantídio está decidido num ponto: não entrará para o serviço público. Vai ter seu próprio escritório. Só falta resolver onde.

– Cora, decidi. Vamos para Jabuticabal. É uma comarca de grande futuro, soube hoje, por meu amigo Flores, lá no Fórum. Terei muito serviço. Essas comarcas sempre têm muitas questões pendentes, muito acerto de divisas. Vai ser bom para nós.

Cantídio está exultante esta tarde.

– Quando partimos?

– Em dois dias, no máximo.

– Estou contente por você, por nós. Já é tempo de nos instalarmos definitivamente – diz Ana.

Preparam-se. Fazem compras de roupas, miudezas.

– Quando tivermos alugado uma casa, providenciaremos móveis, louças, esses trastes de casa, lá mesmo. Me disseram que tem tudo no comércio de Jabuticabal.

– Pretendo ir arrumando devagar. Nada de inutilidades, apenas o essencial – Ana responde.

O trem da estrada de ferro sai cedo da Estação da Luz. Ana, Cantídio e Guajaja arranjam um bom lugar. Um apito forte se faz ouvir. Partem.

A paisagem banhada pela luz do sol é linda! Lavouras, pastos, bosques vão passando rápidos. Cidades parecendo encantadoras se sucedem. Há um vagão-restaurante no trem. Servem uma refeição frugal, porém gostosa e benfeita. Como na viagem anterior, conversa-se com os mais próximos, troca-se informações. A conversa informal ajuda a passar o tempo de maneira agradável.

– Muitos negócios são fechados num trem – cochicha Cantídio ao ouvido de Aninha.

Chegam à noite. Um carregador aparece para levar a bagagem. Procuram uma hospedaria próxima. Lá vão ficar uns dias, enquanto procuram uma casa. Acomodam Guajaja, que, dormindo, nem se apercebeu da chegada, dos movimentos.

A claridade entrando pelo quarto, atravessando uma cortina singela, anuncia o novo dia. Aninha salta logo da cama, tomando cuidado para não bater no berço que está próximo. Quer ver logo a cidade. Pela janela, avista uma rua tranquila, todinha arborizada, muito limpa e reta. Nada parecida com as ruas tortas, quebradas, estreitas de sua cidade. Passantes anônimos, poucos. É ainda muito cedo, lembra.

Cantídio também vai à janela.

– Simpática, hein?

– Tenho certeza de que seremos muito felizes nessa Jabuticabal.

– No que depender de mim, não tenho dúvidas.

Permanecem juntos, debruçados no batente, observando o pedaço que a vista alcança.

– O fundador da cidade foi Pinto Ferreira, que doou o patrimônio no passado – conta Cantídio, que já havia se informado um pouco sobre a cidade quando estavam em São Paulo. Aqui é região de terra roxa, com lavouras de café, cana e algodão. Algumas fazendas de gado também. O nome é pela existência de muitas jabuticabeiras silvestres que sempre existiram aqui.

Afasta-se o doutor para o interior do quarto onde a menina, já de pé no seu berço, estende seus bracinhos.

– Bem, vamos nos aprontar, conversar com o pessoal da pensão. Temos que pedir informações a todos sobre casas de aluguel. Depois, quando o fórum abrir, chegarei lá. Há um magistrado e um promotor, nomeados recentemente, e, se não estou enganado, vieram para cá com as famílias.

São acolhidos com carinho quando chegam ao grande salão, para o café matinal. A pensão é dirigida por toda uma família, que executa, bem dividida, as atividades concernentes a cada um. Fazem sentir seus hóspedes como membros da casa, pondo-os à vontade, abrindo a eles armários, coisas de cozinha, leite, frutas abundantes, tudo à mão.

– Estou feliz – Aninha não se cansa de repetir.

A criança passa logo por vários braços. Não estranha ninguém. É graciosa, boazinha, a todos conquista de imediato.

Quando o assunto da casa é exposto, logo ouvem duas ou três indicações. Tomam nota. Um jovem, filho do proprietário da pensão, é colocado à disposição para acompanhá-los, quando quiserem. Antes, porém, Cantídio quer se encontrar com o pessoal do fórum, o que acontece mais tarde.

Está tudo funcionando numa casa só, adaptada: cartório, escritórios do juiz e do promotor. A delegacia fica aos fundos. É um arranjo provisório, enquanto reformam prédio próprio. Fica na praça principal, como ensinam, fácil de encontrar.

Uma grata surpresa: o promotor tinha sido um colega de faculdade. Logo reconhecem-se, trocam abraços, falam do que tem acontecido a cada um nesses anos em que estiveram separados.

No cartório, é apresentado ao doutor Guarita e a um auxiliar ainda jovem chamado Silvério. A conversa corre gostosa sobre a cidade, suas personalidades, o trabalho. Uma boa casa para alugar logo um deles sabe.

Quando retorna à pensão, para o almoço, traz muitas novidades. Programam sair logo mais à tarde, depois do soninho de Guajaja. Vão dar uma volta, visitar os endereços que já possuem.

– Quem sabe, hoje mesmo conseguiremos uma casa – anima-se Aninha.

– De qualquer forma, não será difícil. Muitas pessoas que possuem fazenda nas imediações às vezes se cansam de morar na cidade e voltam às suas terras e, assim, alugam as casas daqui, me contaram.

À tarde, depois que Guajaja acorda, de banho tomado, com uma roupinha fresca, saem os três.

Com os endereços na mão, não é difícil encontrar as casas indicadas e que estão vagas. Sempre é o vizinho quem está com as chaves e os acompanha, mostra tudo. Na segunda parada da lista que trazem, encontram o que desejam. Fica numa esquina, tem muito terreno, quintal cheio de árvores frutíferas. As janelas que dão para a rua são altas. Os cômodos, suficientes. Tem uma sala logo na entrada, que Cantídio pode usar para seu gabinete de trabalho, pois há outra entrada lateral para uso da parte propriamente residencial. A vizinha, dona Cotinha, muito simpática, já dá o aluguel, que é conveniente ao doutor. Tudo ajustado.

– A senhora conhece um pintor que possa dar uma demão sobre essa pintura? Em alguns pontos, há manchas. Assim, é melhor caiar por inteiro, Cantídio inquire dona Cotinha.

– Um primo meu é bom nisso. Ele pode pegar o serviço, pois, no momento, acabou de caiar uma casa e ainda não começou outra.

– Pois vamos atrás dele agora, se a senhora puder. Quanto mais cedo começar, mais depressa estaremos instalados.

– Passo em casa para deixar as chaves e avisar que vou acompanhá-los. Meu primo mora perto e nessa hora vamos encontrá-lo, certamente.

De fato, Otávio está lá. Acertam serviço, preço, prazo. Se tudo sair como combinado, no fim da semana já podem entrar na casa.

No dia imediato, saem a escolher e comprar alguns móveis, cama, berço e cômoda para o quarto; cadeiras e mesas para a cozinha; uma secretária e cadeiras para o escritório. Tudo será entregue tão logo a casa esteja pronta. Os livros de direito do doutor ainda estão a caminho de São Paulo, vindos de Goiás, com uma tropa cargueira. Vão ser deixados em casa de um conhecido, de endereço fácil de ser encontrado. Talvez ainda leve um mês, mas isso não preocupa no momento.

Panelas, louças, talheres, copos. Aninha vai comprando um pouco a cada dia.

Otávio apronta tudo no prazo certo e já se oferece para ajudar a colocar as coisas que vão chegando no lugar. Quando sabe que o doutor tem livros para chegar, é tratado para fazer as prateleiras para a saleta, sob medida. Também é carpinteiro nas horas vagas. Fará inclusive as prateleiras da cozinha, já acertam.

Chega o dia da mudança. Deixam a pensão, não como hóspedes, mas como amigos.

– Gente boa, essa de Jabuticabal – são unânimes em afirmar.

Nos primeiros tempos, Cantídio faz ponto, diariamente, no cartório do doutor Guarita. Vai conhecendo as pessoas, batem longos papos, enturma-se.

Aninha, com a solicitude natural de dona Cotinha, conhece as demais vizinhas. Aprende onde encontrar uma verdura fresquinha, apanhada na hora; conhece um retireiro que tem vacas, próximo à cidade, que passa a trazer um latãozinho de leite todos os dias; o padeiro passa logo cedo, com seu carrinho de pães ainda quentinhos – ouve-se o seu aviso como um cântico, pelas ruas ainda quietas:

– Olha o pão, olha o pão.

Alguns meninos passam vendendo bananas, laranjas. Aninha se torna freguesa de todos eles.

Com o passar dos dias, conhece as esposas do juiz e do promotor. Tornam-se amigas. Todos da cidade passam a tratá-la por Cora, como o doutor.

O corpo roliço de Aninha já mostra sua gravidez. Passa bem, sempre disposta. Apega-se à menina e não tem dificuldade alguma de criá-la e dar conta do trabalho doméstico. Escrever? Não tem tempo, embora tudo seja registrado em sua memória. Quando puder, muita coisa tem para pôr no papel.

Quando as coisas estão organizadas dentro de casa, resolve cuidar do quintal. Trata com um trabalhador, homem vindo da lavoura, acostumado à lida da terra, para carpir, limpar, cortar galhos secos das árvores frutíferas. Cobrindo o poço de água, apesar da cidade já contar com água encanada, manda fazer uma armação de madeira, onde entrelaça ramos de um chuchuzeiro nascido por acaso, e consegue ter ampla sombra para a tina de água e o tanque de lavar roupa que ali existe.

Um umbuzeiro, no fundo do quintal, lembra sua terra. Jabuticabeiras, duas, em plena florada, prometem uma safra generosa. Com a ajuda de seu Chico, prepara um canteiro para semear cheiro-verde, cebolinha e salsa e uns pés de couve. Ao retireiro é encomendado um saco de estrume de vacas, para estercar.

A cidade é conhecida por vários nomes: "Cidade de Pinto Ferreira", "Fábrica de Nossa Senhora do Carmo de Jabuticabal", "Cidade das Rosas".

As roseiras da cidade! Não há jardim que não as ostente, em mil matizes, tornando-se trepadeiras, arbustos isolados, nascendo pelas frinchas das pedras, anônimas, de boa procedência. É orgulho de toda família seu roseiral. A terra roxa é a maternidade ideal de toda muda.

Há bastante espaço no quintal e Aninha também providencia suas mudas. Encontra em casa de dona

Zuleica uma roseira que lhe traz lembranças de Goiás: rosa de Alexandria, tão cheirosa como poucas! Mais uma muda para o seu quintal. Aprende o enxerto: planta mudas-cavalo primeiro; quando estão bem crescidas, escolhe a mais forte e nela enxerta um olho do galho da rosa desejada e vai eliminando quaisquer outros brotos que apareçam. Em pouco tempo, suas roseiras estão florindo, lindas, fortes.

Estão completamente integrados na comunidade.

Em 28 de maio, nasce a primeira filha. É um parto fácil. Dona Genoveva, parteira experiente, já foi contatada há dias, por intermédio de dona Cotinha. As vizinhas se revezam para tomar conta de Guajaja, da alimentação, da lavagem da roupa. Após poucos dias, contra todos os argumentos das amigas que lhe recomendam um resguardo por período maior, Aninha se levanta e começa a tomar para si os cuidados da nenê.

– Estou bem, por que não? Não vou exagerar, isso prometo.

Cantídio registra a filha – Paraguassu Amaryllis. Gosta de nomes indígenas. O Amaryllis é uma concessão aos desejos de Aninha.

Só depois do nascimento da filha, Aninha resolve escrever para sua mãe. Desde que saiu de Goiás, nunca teve notícias e nunca as deu. O portador é um fazendeiro da cidade que costuma comprar gado pelas terras goiases para si e para amigos. Cantídio o conheceu no cartório, onde tinha ido registrar uns papéis. Logo fazem amizade. Quando Aninha fica sabendo que, em breve, esse fazendeiro fará uma viagem a Goiás é que resolve escrever. Conta sobre sua vida atual, sobre sua filha, sobre Guajaja. Passa para a mãe o quanto está feliz, realizada. Quer apenas que a mãe a compreenda e não guarde rancor pelo ato que praticou.

Dois meses depois, recebe a resposta, pelo mesmo portador. Sua mãe procura assimilar o acontecido, mas foi duro golpe para seu espírito moralista. Tem queixas, mas sabe que nada poderá mudar o curso da vida da filha. "O que não tem remédio, remediado está", não pode deixar de mencionar.

A partir de então, sempre que possível mantém correspondência com a mãe. Helena também dá notícias, vez ou outra.

Recomeça a escrever seus versos. Sua nova vida, as filhas, a cidade são assuntos constantes. Mostra-os a Cantídio. Ele aprecia, mas não quer que os mostre a ninguém mais. Difícil entender!

Os livros de Cantídio já chegaram. Além dos de Direito, gosta de ler os clássicos franceses, como é de "bem". Anatole France é o autor preferido – *O crime de Silvestre Bonnard*, *O Lírio Vermelho*. Fiódor Dostoiévski, o russo mais apreciado – *Os Irmãos Karamazov*, *Crime e Castigo*, *O Idiota*. Entre os portugueses, José Maria Eça de Queirós – *O Crime do Padre Amaro*, *Primo Basílio*, *Os Maias*, *A Cidade e as Serras*. Ramalho Ortigão é outro português que Aninha já conhecia.

Cantídio é um leitor ávido da boa literatura. Ana, sempre organizada nos seus afazeres, reserva tempo para ler também. Trocam ideias, analisam os contos lidos. A mesa do jantar é o lugar e instante preferidos para isso. A fome de leitura, a facilidade de aprender tudo, a boa cabeça para memorizar tornam Aninha uma parceira extraordinária para debates, troca de opiniões, concordâncias e discordâncias. Cantídio é muito inteligente e estimula a companheira, sempre.

Começa a trazer os companheiros do fórum para a casa. São noites inesquecíveis: casos de jurisprudência, literatura, tudo é assunto, e Aninha, sempre presente, participa moderadamente das discussões. Cantídio orgulha-se da mulher.

Ana vai aprendendo também, de tanto ouvir, problemas relativos ao Direito. Quando Cantídio se firma como causídico, muitas vezes tem que defender um cliente no tribunal. Escreve, em casa, a defesa. Ensaia com Aninha a postura, a voz, as frases de efeito. Brilha nos julgamentos. Com isso, a jovem passa a saber cada vez mais de leis e pode analisar, com ele, os trâmites jurídicos, os processos, as liminares. O jargão das leis entra para seu vocabulário. É uma ouvinte excepcional e bastante ponderada quando dá opiniões. Com o decorrer do tempo, as atividades de Aninha extrapolam o lar.

Há, na cidade, a Associação das Irmãs de Caridade que faz parte da igreja.

– Cantídio, temos que ajudar as pessoas. Você tem seu trabalho. Agora que as meninas estão crescidinhas e com a Luzia para me auxiliar no trabalho de casa, posso dedicar umas horas do dia à Associação. Você não se opõe, não é?

– Desde que não interfira dentro de nossa casa.

– Saberei conciliar as coisas, você vai ver.

Aninha se torna membro muito ativo e logo é aceita por todos. Principia a liderar atividades como organização de quermesses, tardes de chá, pequenos leilões. Inicia uma campanha para distribuição de leite às crianças pobres, tratamento de saúde para os idosos.

– Comprei esta casa, Cora – animado, Cantídio chega com a novidade.

– Assim, de uma hora para outra?

– Era pegar ou largar. Soube do negócio no cartório. O proprietário está de mudança e precisava urgente do dinheiro. Amanhã, lavraremos a transferência da escritura.

– Com todo o terreno?

– Sim.

– Fico satisfeita. Você sabe: morar em casa própria sempre foi e continuará a ser o sonho de todos. Dá um sentimento de estabilidade.

– Por uns tempos teremos que restringir gastos.

– Por hora vamos nos aguentando. Mas você sabe que o telhado precisa de uma reforma total. Otávio tem trocado muitas telhas, mas com qualquer chuva mais forte é goteira por todo o canto!

– Logo que possível, cuidaremos disso.

Fim do ano chega, mais uma vez. Novamente, Aninha está de barriga.

As chuvas fortes passam sobre a cidade com ventos, árvores caindo, folhas espalhadas, enchentes dos ribeirões Rico e Palmital. O rio Mogi-Guaçu cheio, pondo em sobressalto as povoações ribeirinhas.

Cantídio, sempre ocupado com seus clientes, às voltas com a roda de amigos, vai protelando o conserto do telhado, apesar das reclamações de Aninha.

Certa noite, a chuva vem com tudo. Panelas e bacias são esparramadas por toda a casa. Goteiras e mais goteiras aparecem. Há dezenas delas agora.

Aninha se desespera.

– Já é demais!

Cantídio nunca está nestas horas para ver e sentir a situação se agravando.

Aninha não tem dúvidas: pega na vassoura de cabo bem longo que serve para limpar teias de aranha do forro ou picumãs na cozinha, cobre-se com um oleado velho e sai ao vento e chuva para o quintal. Vai cutucando, empurrando as telhas do beiral, com força e decisão, derrubando-as ou tirando-as do lugar. Faz o mesmo nas laterais da casa. Só não vai à rua, porque não quer ser pega em flagrante. Que molhe toda a casa! Não importa mais.

Só com uma ação drástica conseguirá de Cantídio o conserto tantas vezes requerido e tantas vezes protelado.

Depois, já de roupa trocada, os móveis puxados para o meio das salas, dos quartos, a empregada, Luzia, olhando tudo assustada, mas de boca calada, e com as filhas ao seu lado num dos poucos lugares secos que restaram, aguarda Aninha o doutor.

Quando o temporal cessa, chega Cantídio. Dá de cara com o caos! Os olhos de Aninha são de recriminação, de desgosto. Acusam mesmo.

– Não pensei que estivesse tão ruim – justifica-se Cantídio.

– Não podemos continuar assim. Logo cedo você tem que chamar o Otávio. Veja os estragos!

– Certo, vou atrás dele. Será que as camas estão secas para a gente dormir?

– Não estariam, se dependesse de você. Mas eu consegui afastá-las a tempo.

Aninha consegue não só a troca quase completa das telhas e calhas, como também nova caiação, quando as paredes estão completamente secas, depois de uma quinzena de sol forte. Convence, ainda, o doutor a fazer um barracão no fundo do quintal para guardar quinquilharias, ferramentas de jardinagem, machado e lenha do fogão.

Em fevereiro, quando chegam os filhos, gêmeos, a casa está em ordem e as reformas terminadas. Cantídio, feliz com a chegada dos meninos, dá o seu nome a um e Eneias ao outro. São saudáveis. O trabalho é dobrado, mas, com a ajuda de Luzia, Aninha vai conduzindo filhos, casa, companheiro. Guajaja tem oito anos e, muito ajuizada, toma conta de Pagassu. Brincam horas seguidas. Também está sempre atenta aos meninos.

Aos seis meses, Eneias tem uma disenteria tão forte que se prostra febril, por dias. Todos os tratamentos disponíveis, acompanhados pelo doutor Jerônimo, que vem atendendo a família desde que chegou, são inúteis. Acaba falecendo o infante.

É um choque para os pais. Aquele bebê tão rosado, forte, risonho, transformado numa coisa frágil, esquálida, agora no seu caixãozinho forrado de azul, caixão de anjinho!

Difícil acreditar! Difícil aceitar!

Só a fé em Deus, na ressurreição, tão fortes no espírito de Aninha, lhe dão força para superar a dor.

Escreve lindos versos para a criança que se foi, sem revoltas, sem lástimas. Lembra seus meses de vida, seus cabelos encaracolados, seu olhar vivaz.

Os outros filhos estão ali, a vida continua...

Uma criança se vai... outra chega...

Jacintha Philomena, em homenagem às duas avós, traz alegrias. A casa cheia de vozes, traquinagens, burburinho infantil.

Sempre que pode, Aninha está firme no seu trabalho junto a Associação de Caridade. Agora, resolve aproveitar o barracão do fundo do quintal para depositar donativos que arrecadam entre a população, entre os fazendeiros, comerciantes. Isso depois de convencer os membros da Associação de que devem distribuir alimentos para os carentes durante o ano todo e não só por ocasião das festas natalinas.

Com as crianças crescendo e precisando de atenção contínua, com o depósito e a distribuição em seu próprio quintal, pode se dedicar à igreja de forma mais eficaz.

Vai ao prefeito, com companheiras – dona Maria Fortunato, dona Ana Vaz, dona Cotinha, dona Bilia. É a porta-voz:

– Senhor prefeito, como é de seu conhecimento, a Associação tem atendido aos pobres da cidade fornecendo alimentos, tratamento de saúde, empregos. Fazemos o que é possível, mas necessitamos de sua cooperação.

– Estão precisando de outro barracão? Dinheiro está difícil. A arrecadação de impostos já está designada para prioridades intransponíveis...

– Não, senhor. Pode ficar tranquilo com o dinheiro da municipalidade. Não é o que queremos.

– Não quis ser grosseiro, mas é que as pessoas só vêm aqui atrás de dinheiro. Abusam... Mas do que se trata?

– Queremos que nos ajude a tirar os pobres das ruas. Seus fiscais podem encaminhar a nós essas pessoas que nós auxiliaremos. Temos conseguido empregos na lavoura e no comércio para os chefes de família. Se a Prefeitura precisar de empregados para qualquer tipo de serviço, que recorra aos nossos assistidos.

– É justo, muito justo...

– Tem mais...

– Calculei certo...

– Penso que o senhor calculou errado. O que pedimos é que o senhor proíba, de maneira categórica, os esmoleiros pelas vias públicas. Mande cada um que for encontrado para a igreja. Lá há sempre alguém para cadastrá-lo e encaminhá-lo ao que for necessário.

– Não há dúvidas de que as senhoras me surpreendem.

– Vamos fazer de nossa cidade um exemplo para muitas!

– Podem contar com o meu apoio e o da Prefeitura.

– Temos certeza de que sim. Até mais ver, senhor prefeito. E obrigada.

– Sim senhor! Essas senhoras têm a cabeça no lugar – comenta o prefeito com seus auxiliares.

Aninha e as companheiras procuram também o delegado e fazem o mesmo pedido, logo aceito.

Começa Aninha, depois disso, a escrever no jornal da cidade, *O Democrata*, do qual Cantídio se tornou um dos redatores. Em seus artigos, ela convoca os jabuticabalenses para que se unam e resolvam juntos os problemas dos pobres, não deixando só para o poder público todo o ônus.

Consegue unir a população e, com isso, até um asilo para os velhos começa a ser construído. A Irmandade de São Vicente é formada por padre Ramalho, pároco da matriz de Nossa Senhora do Carmo, padroeira da cidade, para dirigir o asilo.

Em seus artigos para o semanário, Aninha volta a assinar Cora Coralina. Em pouco tempo, todos já sabem de quem se trata. Cresce no conceito da população. Nunca deixa de denunciar as atitudes e problemas que prejudicam a cidade. Nem o prefeito é poupado, quando encaminha mal as questões da cidade.

Há um outro jornal, de oposição – *O Combate* –, e atritos entre eles são comuns. Cada qual atacando os fatos de acordo com sua ótica.

Esta posição de destaque de Aninha em movimentos reivindicatórios, que cresce a cada dia, começa a incomodar Cantídio. Com isso, as discussões entre eles vão aumentando na mesma proporção. O doutor não aceita ver Aninha sobressaindo da média das mulheres da cidade, senhoras pacatas, levando suas vidinhas sem altos e baixos, preocupadas apenas com casa, marido, filhos, quando muito participando dos trabalhos da igreja.

Na cidade, o Patronato Agrícola "José Bonifácio" já está instalado há vários anos, atendendo aos jovens, principalmente da zona rural, com o curso primário e princípios de conhecimentos agrícolas. Todo ano, há mais candidatos do que vagas, pois funciona em caráter de pensionato, com alojamento e alimentação, fora as aulas. Por este tempo, algumas vezes a própria Aninha usa o Patronato para internar meninos pobres que demonstram vontade de aprender.

Em meio às polêmicas, através do jornal, com os poderosos da oposição, estimula o prefeito para que consiga, junto ao governo do Estado, a ampliação do estabelecimento e, com isso, passa a cidade a ter a sua Escola de Agronomia.

Em plena fase de luta para a escola, nasce mais uma menina: Maria Ísis. Desde o nascimento, prematura, muito frágil. Vive apenas seis meses. Outra morte a abater Aninha, agora com recriminações do doutor.

– Você abusou. Nunca se poupou nesta gravidez. Esta divisão entre casa e igreja, essa preocupação com tudo e com todos não ia dar certo mesmo! Quem pagou foi nossa filha.

– Como você ousa dizer isso? Eu sempre me senti bem, sem problemas. Andar, escrever, trabalho que não requer força física, nunca fizeram mal a mulher grávida alguma. Era o destino!

– Você leva tudo a ferro e fogo. Não tem meio termo!

Os desentendimentos recrudescem. Exacerbam-se os ânimos. Há, porém, pausas por tempos limitados ou longos, conforme as circunstâncias.

Por ocasião da festa de primeira comunhão das crianças mais velhas, reina a paz na família. Justamente neste dia, Otávio, que tanto tem trabalhado para eles, conta que recebeu de pagamento, por serviços prestados, um terreno grande, não muito longe dali. Não tem condições de construir, portanto, pretende vender. Oferece ao doutor. Aninha ouve a conversa. Sabe onde fica o terreno. Insiste para que Cantídio o compre.

– É uma boa aplicação de suas economias. Acho que não devemos perder o negócio.

– Mas é um terreno grande, quase uma chácara.

– O preço é bom. A cidade está se desenvolvendo para aquele lado e, em pouco tempo, vai estar valendo mais.

Cantídio pondera:

– Vou pensar até amanhã. Você espera minha resposta, Otávio?

– Não vou oferecer a mais ninguém até o senhor decidir.

No dia seguinte, a conversa ao café e ao almoço é sobre a compra ou não da chácara. Cantídio resolve atender a Aninha e manda chamar Otávio. O negócio é fechado.

Na cidade, muita gente já sabe sobre a situação do casal. É muito difícil ficar em segredo o fato de que não são casados, que Guajaja é filha só do doutor, que está havendo bastante discussões entre eles. Porém, a capacidade profissional do causídico, sua atuação em *O Democrata*, a simpatia e trabalho em prol da comunidade de Aninha, são fatores ponderáveis para que ninguém se afaste, para que ninguém comente abertamente. Não há o que recriminar no comportamento da família. Afinal, quem não tem suas discussões, seus mal-entendidos?

Só quando já está no Grupo Escolar é que o jovem Bretinhas fica sabendo que seus pais não são casados. Acontece durante uma briga com companheiros, ao chegar às vias de fato e quando rolam pela terra, durante o recreio.

– É mentira! É mentira – grita com toda a força.

– Pois pergunte a sua mãe, seu pirralho de uma figa.

Chega em casa na corrida, desarvorado.

– Mãe, mãe, um menino no grupo falou que você não é casada com o pai.

Ana respira fundo. "Chegou a hora", pensa.

– Calma. Vai se lavar, tirar o uniforme e depois venha aqui.

Chama por Pagassu, Guajaja e Jacintha. É melhor que converse com todos de uma vez. As línguas ferinas da cidade, sempre as há, são piores que o fato em si, portanto, franqueza agora é o melhor.

Quando estão reunidos na sala de jantar, Aninha, à cabeceira da mesa, fala pausadamente:

– Eu e seu pai estamos juntos há treze anos. É como se fôssemos casados. Agimos e pensamos como tal. Isso nunca afetou nosso relacionamento. Só não casamos porque ele foi casado com outra mulher e ela ainda vive.

– E a Guajaja? O menino disse que ela não é minha irmã.

– Claro que ela é irmã de vocês. Só não é minha filha verdadeira, mas é de seu pai, e eu nunca fiz diferença entre vocês.

– Por que você não contou antes?

– Tudo tem sua hora. Se tivesse falado antes, vocês não teriam idade suficiente para entender e não ia adiantar nada. Mas quero que saibam que não tem importância eu e seu pai não estarmos casados de papel passado e tudo o mais. O que vale é que estamos juntos e vocês são os filhos que quisemos ter e que foram muito desejados.

– Quando os meninos disserem isso outra vez, vou dar uns murros neles.

– Não senhor. Deixe que falem o que quiserem. Assim, esquecerão mais depressa o assunto. Quanto mais você reagir com xingatórios e brigas, pior vai ser. Diga apenas que ninguém tem nada com isso. É o suficiente.

– Engraçado o que acontece – comenta Aninha com Cantídio, mais à noite, quando estão a sós. – Parece que depois dessa conversa com as crianças, elas, que estão volta e meia às turras, melhoraram. Que aceitaram o fato com naturalidade, disso não tenho dúvidas.

– Já era tempo delas saberem o que se passa. Não vou acrescentar mais lenha à fogueira, puxando o assunto novamente. Sua explicação foi suficiente.

O terreno comprado de Otávio é bem grande. Quando querem se referir a ele, dizem: a chácara. É cercado com muro de tijolos que está em situação de miséria, mas com possibilidade de aproveitamento, antes que se acabe de vez.

– Cantídio, vamos mandar consertar o muro, reforçar o madeirame do portão. Tenho uns planos para a chácara.

– Nada de gastos exagerados e quero saber o que você pretende fazer por lá.

– Estou com algumas ideias. Tão logo resolva, conversarei com você. Mas posso adiantar que será alguma coisa com que vou ganhar dinheiro.

– Olha lá, olha lá!

Uma chácara de rosas é a ideia já amadurecida. Não quer discutir agora com o companheiro. Mas que vai viabilizá-la, ah, isto vai!

Todos na cidade gostam de rosas. Há inúmeras roseiras, mas não de tantas qualidades que, sabe, existem. Vai ter mudas enxertadas que logo florescem. Já ouviu falar da Companhia Dierberger, que cultiva plantas floríferas e frutíferas em São Paulo. Ela vende para todo o Estado. Consegue um catálogo pelo correio. Agora, sim, tem o nome das várias espécies, o preço, as várias qualidades estão fotografadas.

Depois do muro refeito por Otávio e um auxiliar, volta ao assunto com Cantídio.

– Na chácara, estou pensando em cultivar roseiras, para vender mudas e a própria flor. Tudo enxertado. De pronto, vamos gastar para preparar os canteiros, furar um poço, pois, apesar da água encanada passar perto, vou me garantir com o poço. Também vou precisar de dinheiro para comprar as primeiras mudas em São Paulo.

– Em São Paulo?

– Sim, mas não preciso ir até lá. Posso escolher no catálogo e recebo pela estrada de ferro em pouco tempo.

– Você tem certeza de que vai dar conta? E as crianças? Seu trabalho com os pobres?

– Tudo vai dar certo. É só você parar de se preocupar e me deixar agir. E, naturalmente, ir me dando o dinheiro, conforme precise.

Em poucos dias, o poço é furado. Tem água à vontade. Um abrigo rústico, mas seguro, é levantado para guardar ferramentas, sementes, regadores. Os canteiros são alinhados, depois de uma carpa bem feita e rastelado o mato. Uma carroça de esterco vem do retireiro e logo é esparramado. As mudas pedidas, mais dia, menos dia, vão chegar.

Contrata os serviços de seu Santino, um velho italiano, homem que passou toda a sua vida na lida da terra.

A chácara passa a ser o seu canto, o seu refúgio, onde, em convivência com as plantas de que tanto gosta, se isola quando as discussões, os bate-bocas estéreis e desgastantes aumentam. A cada dia, Cantídio mais implica com seus artigos no jornal, com sua personalidade marcante de mulher que sabe o que quer, que tem argumentos seguros e irrefutáveis.

– Dei muita corda. Agora, estou colhendo o que plantei – diz Cantídio.

Seu tempo fora do escritório, recebendo clientes ou estudando, é passado com os amigos, na redação d'*O Democrata*. Passa a beber mais, sendo a cerveja sua bebida preferida.

Adeus aos tempos em que elogiava Aninha, incentivava os poemas, apoiava seu trabalho cristão! Quando sóbrio, é o companheiro ideal: alegre, prosa, inteligente, apaixonado pela profissão. No fundo, há muita incompatibilidade entre eles e a diferença de idade pesa, com o passar dos anos.

Profissionalmente, Cantídio sempre brilha. Ganha questões dadas por perdidas, consegue absolvições, resolve pendências, é secretário-redator do semanário, incansável. Dinheiro não falta. Tanto que, numa fase boa, de calmaria, resolve construir uma casa, aproveitando o terreno tão grande onde moram.

Passam horas, ele e Aninha, a desenhar croquis para a construção. Concordam aqui, discordam ali, até chegarem ao possível, dentro do sonho.

Aos poucos, a casa é erguida. Fazem uma festa por ocasião da cumeeira. Algumas discussões surgem no acabamento, mas chegam a bom termo. Enfim, após o tempo de uma gestação – nove meses –, está pronta. Mudam-se. Agora, há espaço para todos e para tudo. Bretinhas vai ter seu quarto sozinho. As meninas, outro. Todo o conforto possível foi pensado, programado. Instalam telefone, que a cidade já tem há alguns anos.

A chácara, de há muito organizada, rende bastante dinheiro para Aninha, que, criteriosamente, o usa para ajudar na construção e para comprar peças extras de móveis, cortinas, enfeites.

Na chácara, além de roseiras, ainda tem cravos, cravinas. Traz para Jabuticabal os bulbos de palma-de-santa-rita, novidade na região. Além de seu Santino, arranja mais um jovem, João, pois o serviço aumenta bastante.

Com a correspondência continuando com a mãe e irmãs, tem sempre notícias de sua terra. Algumas vezes, manda artigos para o jornal *A Informação Goyana*, rodado no Rio de Janeiro, mas feito para Goiás, escrito por goianos.

Sua luta em prol da comunidade prossegue. Toma partido entre as correntes políticas jabuticabalenses, incomoda alguns, recebe aplausos de outros. Cantídio, além da redação d'*O Democrata*, jornal da situação, faz parte da Loja Maçônica, toma partido entre uma das facções políticas. Os dois estão em comum acordo nesse ponto.

Pagassu e Guajaja terminam o Grupo Escolar. Há um ginásio feminino muito bom. É o Colégio Santo André. Acontece que Cantídio, por questões políticas, não quer ver as meninas estudando ali, mesmo sendo dirigido por freiras. Resolve mandá-las para Ribeirão Preto, onde a família tem uma conhecida, parente de dona Cotinha, que se oferece para hospedá-las. Guajaja não quer ir e, depois de muita ponderação, Cantídio deixa que Pagassu vá sozinha – é muito inteligente e adora o estudo. Aninha vai com ela, para acertar matrícula, moradia. Há uma jardineira que faz a ligação entre as duas cidades.

À irmã Helena, com quem tem se correspondido, sugere a vinda para Jabuticabal, numa das cartas. Ela vive em Goiás, desgostosa, sem estímulos, solteirona convicta, depois de tanto sofrer a morte do noivo, há tanto tempo... mas jamais esquecido. Aninha a anima. Apreciaria imenso ter a irmã consigo e tem a certeza de que a mudança será benéfica para Peixotinha, como a trata.

Senhora Jacintha escreve contando a morte de Vó Dindinha, recentemente, e hesita em deixar Helena fazer a viagem. Depois de mais uma carta de Aninha, concorda. Mas exige que a filha só viaje quando tiver uma companhia de sua confiança:

– Não se afobe. Mais cedo ou mais tarde, acharemos alguém para acompanhá-la até sua irmã. Não adianta pressa. Como já diziam: "o apressado come cru e quente".

O tempo vai passando. Helena está ansiosa. Recebeu carta da irmã que, garante, irá buscá-la em São Paulo ou onde for, na data marcada.

Nelson, o filho mais velho de Sinhá, terminado o Liceu em Goiás, quer continuar seus estudos. Pensa em cursar medicina. Emprega-se nos Correios e Telégrafos, enquanto a mãe decide, pois os recursos de que dispõe são parcos, têm que ser administrados muito bem, desde que ficou viúva com três filhos para criar e educar.

Senhora Jacintha resolveu ajudar o neto e a filha e decide que devem ir para o Rio de Janeiro, onde Nelson poderá cursar a faculdade, hospedar-se em casa de amigos de Senhora. Aproveita Helena a companhia para ir a Jabuticabal. Acertam. Logo comunicam Aninha por telegrama.

No dia aprazado, Aninha viaja para o Rio, com Cantídio. O reencontro entre as irmãs é festejado com muitos abraços e lágrimas. Mil perguntas, mil respostas!

Resolvem passar uns dias ali, para que conheçam a cidade. Tudo corre melhor que o esperado. Sinhá ainda vai permanecer ali por mais tempo, até que o filho esteja certo de sua vaga, depois dos exames prestados. Promete ir a Jabuticabal em breve.

Helena, ao chegar em Jabuticabal, é como se pertencesse à terra. Já está a par de tudo, das amigas, do trabalho, do gênio das crianças da irmã. Seu jeito calmo, embora exigente, a todos conquista.

– Conte-me sobre o dia em que saí de casa – pede Aninha, numa hora que estão a sós.

– Não esquecerei tão fácil! Quando acordei, não a vi em sua cama. Pensei que já deveria estar no café. Quando chego na cozinha, não a vejo. Mãe logo quer saber o que se passa, quando perguntou de você a Lindaura. Procuramos pela casa. Nada.

– Talvez tenha ido à missa logo cedo e não avisou ninguém, sugere a mãe.

– É esquisito. Em todo o caso, pode ser, pois hoje tem confissão com frei Germano.

– O tempo vai correndo, e nada – prossegue Helena. Resolvi arrumar o quarto e percebi que suas coisas estão faltando. O baú com as roupas que você ia levar para a fazenda não estava mais no canto. Seus cadernos de poesia não encontro. Volto a falar com a mãe, que também vai vasculhar o armário de suas coisas. Ela fica furiosa, já certa de sua fuga.

– Estou imaginando a cena...

– "Satanás, quando não vem, manda logo um portador", ouço a mãe a dizer a todo instante. Ela manda Júlia até a casa do doutor Cantídio, que logo volta dizendo que ele viajou, foi embora, de mudança, conforme dizem os vizinhos. Chega-se logo a uma conclusão: você está junto.

– Quando se conscientiza do acontecido, a mãe se tranca no quarto. Não sei o que se passa então, e, só bem mais tarde, sai. Pede que não comentemos o fato e nunca mais falou a respeito. Aos estranhos que pediam notícias suas, dizia que tinha viajado, mais nada. E quem tinha coragem de querer detalhes?

– Antes assim!

Helena conta também como o dinheiro da mãe vai acabando aos poucos. Senhora vai penhorando joias, coleções de moedas antigas, aquela baixela de prata de lei, pesada, de tanta história. Algumas peças já haviam sido penhoradas quando Aninha ainda estava lá. A cada dificuldade maior, lá se ia ao penhor ou à venda uma das preciosidades da casa. "Às vezes, é preciso ceder os anéis para não perder os dedos", dizia Senhora.

Helena auxilia a irmã nos afazeres domésticos. Fica com as crianças, toma conta da casa quando Aninha viaja. A chácara, o trabalho com a Associação, os artigos para o jornal tomam muito tempo de Aninha, que considera uma benção a vinda da irmã. Até as discussões com Cantídio diminuem. A harmonia se restabelece ou cada um deixou as exigências de lado?

A casa ao lado é alugada, depois de uma reforma. O mestre de obras é um novato na cidade, vindo de Porto Ferreira. É "seu" Augusto Mainardi, habilidoso, tranquilo, excelente no seu mister. Torna-se amigo da casa. Quando termina o serviço, continua a visitá-los. Às vezes, toma uma refeição com o doutor. É solteiro, apesar de já ter 32 anos. Cedo ficou órfão e teve que ajudar a mãe a criar os irmãos, sem tempo e possibilidade de constituir sua própria família.

Helena, uns anos mais velha, é muito bonita. Sempre foi considerada a mais bela das filhas de Senhora. Um interesse recíproco envolve o par. Um ano depois, estão se casando. Aninha prepara toda a festividade das bodas. Ajuda a comprar o enxoval. Senhora é avisada, mas não pode comparecer. Os seus achaques não permitem.

Passam a morar próximo. Tem até uma passagem, no muro do quintal, ligando as casas.

Peixotinha, que sempre achou que não teria filhos, pois já se considerava com bastante idade, além de conseguir ser mãe, ainda tem um robusto menino num parto absolutamente normal, sem dores; nem precisa de parteira. Augusto dá conta do recado, pegando a criança, cortando o cordão umbilical, colocando-a envolta em um cueiro nos braços da mãe, limpando a mulher, trocando roupas da cama e da própria Peixotinha. Só depois vai chamar Anica, como ele e a esposa a tratam.

– Mas o senhor fez tudo sozinho?

– Já fui parteiro por duas vezes, antes desta, lá em Porto Ferreira. Não tive escolha. Na roça, sabe?

Vai ver a irmã, que está superfeliz, um sorriso largo deixando-a mais bonita ainda. Providencia o que ainda não foi atendido por Augusto. Manda Guajaja até o telégrafo passar a notícia para Goiás. Quando regressa à casa, na hora do almoço encontra Cantídio com novidades.

– Minha ex-mulher morreu já faz um mês. Um conhecido que veio de São Paulo trouxe a notícia. Ele também vai providenciar que chegue às minhas mãos o registro de óbito. Se não houver delongas, poderemos casar ainda este ano.

– Não posso nem acreditar! Por mim, sempre me considerei casada, mas será bom para as crianças. Volta e meia, alguém tem que lembrar o caso.

– Como está passando sua irmã?

– Bem. Nem parece que pariu hoje. Sempre ouço dizer da dificuldade que as pessoas com mais idade têm nesta hora, para um primeiro filho. Mas Peixotinha aí está, para desmentir a todos. Vai registrar o menino com o nome de Francisco de Assis. Seu Augusto é um sorriso só!

– Nem é para menos.

Com a chegada do bebê, aumentam as despesas, mas Peixotinha não quer nem pensar que a irmã arque com algum gasto. Sua vida com o marido é bem regrada, administrando da melhor forma possível o dinheiro que entra. Tem muita vontade de ajudar o marido, mas não sabe como. Aninha está a par, e sugere:

– Você sempre foi excelente nos doces. Por que não os faz para vender? Hoje em dia, muita gente não tem tempo para fazer, ou mesmo nem sabe. Veja só a professora do Bretinhas: teve que pagar uma doceira para a festa do aniversário do marido.

– Será que me sairei bem?

– É só começar. Prepare uns pratos para a quermesse do mês que vem. Faça aqueles doces glacerados de Goiás. Laranja-da-terra vamos buscar na chácara. Lá tem um pé carregado. E os de batata-roxa? Lembro bem dos seus doces! Vou espalhar a notícia entre as senhoras da Associação. Vai dar certo!

Realmente, é um sucesso o doce de Peixotinha. Em pouco tempo, pode contar com pedidos. Torna-se a dona Xotinha, doceira requisitadíssima!

– Mãe, por que você chama a tia de Peixotinha? – pergunta Jacintha, já na idade da curiosidade, observadora como ela só!

– Nosso pai era conhecido como o doutor Peixoto. Daí, quando nasceu sua tia, acharam que era muito parecida com ele e deram-lhe o apelido de Peixotinha por isso.

– Hum! Tudo atrapalhado. Nem você chama Cora, chama Ana. E por que ela chama o nosso primo de Frank? Francisco de Assis foi um santo, não foi?

– Ela homenageou o santo de sua devoção, dando o nome ao filho. Mas também sempre teve muita admiração por um homem que nasceu muito longe, na América do Norte, muito importante como estadista e físico. Ele inventou o para-raios, entre outras coisas. Chamava-se Benjamin Franklin, daí veio Frank.

– Puxa! Essa tia tem cada uma!

Lá vai Jacintha a contar aos irmãos a descoberta.

O ano termina e Cantídio ainda não recebeu o atestado de óbito da ex-mulher.

– No começo do ano, tenho que ir a São Paulo atrás de uns documentos para um processo que tinha sido arquivado há tempos, mas que será reaberto com novos depoimentos que não tinha antes. Vou contatar o meu conhecido e resolvo isso. Trago esse papel, custe o que custar.

– Já estamos juntos há 15 anos. Um pouco mais, um pouco menos, não vai fazer diferença – diz Aninha, já acostumada com as dificuldades da vida, embora nunca desanime.

Quando vai a São Paulo, Cantídio procura o conhecido, mas não o localiza. Resolve seus negócios e volta.

– Nada feito. Não encontrei o Antônio José. Temos que aguardar que ele dê notícias.

– Se não aparecer, será melhor você procurar outras pessoas que podem saber alguma coisa, antigos amigos da época em que estavam juntos.

– Pode deixar, vou providenciar.

O trabalho toma o tempo de Cantídio, que vai protelando, como é de seu feitio quando os assuntos são os domésticos. Só em junho, recebe correspondência de Antônio José com o documento.

– Mês que vem, as crianças têm férias. Você também tira uns dias na Associação, da chácara, e vamos para São Paulo.

– Para São Paulo?

– Aproveito as férias forenses e vamos todos a passeio.

– Que tal deixarmos as crianças com Peixotinha e irmos só os dois? Acho que merecemos. Há muitos anos não temos um instante só nosso.

– Você acha que sua irmã fica com elas por uns dias?

– Tenho certeza de que sim.

– Converse com ela.

Exposto o assunto, Peixotinha concorda plenamente.

– De volta a São Paulo! Nem parece que estive aqui há tanto tempo!

– Muita coisa mudou, você vai ver! A cidade não para de crescer, apesar da crise do café.

Instalam-se no Hotel D'Oeste, em plena avenida São João, indicado pelo pessoal de Jabuticabal e que Cantídio já conhece.

Passam-se os dias e, embora tivesse falado em casamento, antes de receber a certidão de óbito da ex-mulher, Cantídio não mais voltou ao assunto. Aninha, agora decidida a ver a situação entre eles legalizada, por causa das crianças, preocupa-se. Mas Cantídio não lhe dá qualquer chance de fazer perguntas. Aninha, porém, não desanima. Aguarda, paciente.

Numa tarde, encontram-se com antigos companheiros do doutor, que conhecem a situação do casal. Ficam sabendo que o amigo está viúvo – Aninha, como quem não quer nada, insinua o fato –, brincam.

– Que tal um novo casamento?

– Cantídio tem medo – brinca Aninha.

– Deixa disso, mulher. Onde já se viu?

– Então, prove: diga para seus amigos que é capaz de casar, agora!

– Ora, Cantídio, acho que Cora tem razão: você está com medo, admita. Por que essa hesitação toda? Você não está livre? Que mais falta? Já conhece a noiva o suficiente, não?

– Acho que a noiva tem que ser jovem e bonita – completa Aninha.

– Vamos lá, companheiro. Nós aqui estamos prontos para apadrinhar os pombinhos. Também oferecemos um jantar no restaurante da Brahma, como presente.

Acossado pela brincadeira sabiamente conduzida por Aninha, Cantídio aceita o desafio.

– Está bem. Só que vocês têm que arranjar um cartório que não demande muito tempo para correr os proclamas.

– Amanhã, pegamos no seu hotel as certidões de nascimento de vocês e o certificado de óbito da ex. Ou vocês viajam sem esses documentos?

– Claro que os temos. Pode passar para pegar.

Despedem-se, ainda rindo do acontecido.

– Bons amigos, bons amigos – sai Cantídio a dizer.

Realmente. Logo tudo estará resolvido. Não há mais o que prolongar.

Dia e hora marcados pelos amigos, apresentam-se no Cartório de Paz e Registro Civil. Com o testemunho dos colegas, está legalizada a união.

Aninha faz uma oração mental, agradecendo ao Senhor. Não tem sido fácil, ultimamente, a convivência entre eles, mas há muito a agradecer pelos momentos bons. O marido possui defeitos, mas muitas qualidades. Por seu lado, ela reconhece ser exigente, controladora dos filhos, da casa, dos negócios. Defeitos? Quem não os tem?

Resolve Cantídio levar a mulher mais uma vez ao Rio de Janeiro, numa espécie de lua de mel.

Lua de mel? Isso é novidade no vocabulário de Aninha.

Quando retornam a Jabuticabal um brilho novo está instalado nos olhos de Aninha. Logo, a notícia do casamento se espalha. Peixotinha vibra com o acontecido, pois vai tapar a boca de muita gente, principalmente em Goiás. Os filhos são postos a par, com naturalidade. Uma temporada harmoniosa se segue.

Inspirada, poemas são escritos e engavetados, como sempre. Manda várias crônicas para *A Informação Goyana*.

Com o rendimento da chácara, cada vez melhor, constrói, sob a supervisão de Augusto, uma casa ligada ao barracão onde deposita os donativos para os pobres da cidade. É pequena, mas do tamanho certo para a família da irmã.

– Peixotinha, esta casa será para vocês enquanto quiserem. Que não haja preocupação alguma de vocês quanto a isso.

– Pagaremos um aluguel.

– Nem fale nisso. Considere uma espécie de presente para meu afilhado, Frank. Enquanto estiverem aqui, morarão sem encargos, sem ônus. Cantídio concorda comigo e estamos conversados.

A política local é um cadinho de interesses e emoções. Os dois jornais – oposição e situação – vivem em constantes picuinhas. Cantídio, em *O Democrata*, cria atritos com setores opostos. Chega a um ponto em que não vê outra solução, a não ser afastar-se. Acompanhando o *Diário Oficial*, lê que uma nova comarca foi criada na região da Sorocabana. É a de Salto Grande, às margens do rio Paranapanema. Aconselhado por Aninha, que sabe dos problemas do marido, faz a viagem para conhecer a cidade. É pequena, lugar extremamente bucólica, com o rio ali, piscoso, limpo. Foi desmembrada de Ourinhos e muito tem para dar trabalho a um advogado. Conversa com as pessoas do lugar, analisa as vantagens que encontrará ali. Resolve estabelecer-se, trazer seu escritório. Ainda tem em Jabuticabal alguns clientes que atenderá cada vez que for visitar a família.

Aninha estimula, anima no propósito. Ficará bem, junto às crianças, tendo a irmã e o cunhado perto. Continuará com seu trabalho.

Muitas vezes, passa dias com o marido. Também gosta da cidade, mas está fora de cogitação uma mudança da família agora que as crianças vão precisar de ginásio. Guajaja não quer estudar, mas Bretinhas logo terminará o grupo. Além disso, Pagassu não pode ficar sempre longe de casa. Se não mudarem, Guajaja ficará mesmo sem um curso.

Quando Bretinhas termina o primário e é hora de matricular-se no ginásio, Cantídio não concorda que seja no Colégio São Luiz, considerado de ótimo ensino, por pertencer ao professor Aurélio Arrobas Martins, com quem tem choques políticos: são opositores acirrados. Com a filha já em Ribeirão Preto, Aninha sugere que se mudem para São Paulo, onde podem estar reunidos.

Cantídio hesita, mas sabe que, se tiverem de dar continuidade aos estudos dos filhos, será imprescindível a saída de Jabuticabal.

Nova gravidez vem surpreender o casal. Aninha começou seu período de menopausa e o marido repousa sobre os louros de ser pai de dez filhos, ao todo. Sua idade pouco ajuda na atividade sexual. Raramente, muito raramente...

– Foi a novidade do casamento.

– Ainda?

– Tudo é possível, conversa o casal.

Quando não é mais possível negar as evidências é que amigos e conhecidos ficam sabendo. As crianças estão animadas com a perspectiva de ter gente nova em casa.

A mudança é adiada, não abortada. Só depois do nascimento retornarão aos planos, estão de acordo os dois.

Chega Vicência, a raspa do tacho, como comentam as amigas. Mais um elo a unir o casal, apesar das desavenças. Uma promessa de tempos de paz. É bem-vinda.

O nome escolhido por Ana é uma homenagem a cinco outras que precederam esta sua caçula, sendo que a primeira, Vicência Pereira das Virgens, foi a esposa de Bartolomeu Bueno, filho de Anhanguera, bandeirante que chegou às terras goiases à procura de ouro e pedras preciosas, e cujo filho, nos idos de 1725, levado por incerto roteiro, reviveu as descobertas do pai, que ele testemunhara acompanhando o velho sertanista com apenas doze anos de idade.

Depois do batizado, por Peixotinha e Augusto, quando Cantídio passa uns dias com a família, o assunto da mudança volta à tona.

– Agora temos que resolver – instiga Aninha. – Para o início do ano letivo, as crianças têm que estar matriculadas em alguma escola.

Cantídio bem que está com vontade de empurrar a decisão para a frente. Mas, acossado pelo pouco tempo que resta para o novo ano, tem que admitir que é agora o momento adequado.

– São Paulo oferece mais oportunidades. Lá, as crianças terão todo o tipo de estudo que quiserem, até a formatura.

– Concordo plenamente.

Decidem que Cantídio continuará com seu escritório em Salto Grande, onde está muito bem, mesmo tendo que viajar bastante para ver a família.

Seu Augusto ficará encarregado de administrar os bens, receber os aluguéis, agora as duas casas serão locadas. Quanto à chácara, Aninha acha melhor vender, e comprador é o que não falta.

– É bom ter um dinheiro a mais nos primeiros tempos em São Paulo.

Aninha passa seu cargo na Associação das Damas de Caridade para as mãos do padre Ramalho que, ultimamente, tem implicado bastante com sua atuação independente, fugindo ao controle do velho pároco. Foram muitos anos de luta para atender aos mais necessitados, só contando com sua força de vontade, sua capacidade de trabalho e a colaboração de algumas companheiras insubstituíveis, porém poucas.

Mais uma etapa da vida fica para trás.

Logo após instalar-se na rua Marajó, no Brás, Bretinhas é matriculado no Ginásio Nossa Senhora do Carmo, onde dois sobrinhos de Aninha e Cantídio, os padres Aleixo e Deodato, são professores. Guajaja vai para a Escola Profissional do bairro; Pagassu, que está terminando o curso ginasial, retorna para junto da família; Jacintha está no grupo. Todos encaminhados nos estudos.

No tempo de férias, vai com as crianças para Salto Grande. Em outras ocasiões, é Cantídio quem vem. Vivendo cada qual numa cidade, as temporadas passadas juntos são sempre boas, com um relacionamento realmente privilegiado. Aninha está feliz com este arranjo. Não falta nada em casa. Cantídio está sempre mandando ou trazendo coisas do interior: linguiça de porco, banha, frutas, engradados de galinha. Tem clientes suficientes para não se queixar. Agora, foi nomeado consultor jurídico da Prefeitura.

A casa que alugam logo ao chegar é acanhada, e, tão logo já está bem adaptada à cidade e os filhos mais acostumados, procuram se mudar. Encontram na Aclimação, na rua Pires da Mota, um sobrado bom, com espaço bastante.

Aninha tem grande capacidade para fazer amigos, para se adaptar facilmente. Depressa, conhece os italianos da rua, gente alegre, fraterna, corações e casas abertos onde todos são acolhidos.

A barbearia do seu Tuturo é o ponto de encontro do pedaço. Cunhado, sobrinho, filho e o próprio Tuturo têm suas cadeiras, seus fregueses certos. Dona Josefa, os filhos Luiza e Bebê, em casa, aos fundos da barbearia, amigos em tempo integral.

Não muito longe, embora não na mesma rua, moram os quase parentes, ou melhor, coparentes, dona Esmeralda com seus filhos – João, Guilhermina, Henrique, Antônio –, a quem as crianças passam a chamar de tia e primos. É uma amizade sincera, fiel.

O filho de Sinhá, que está no Rio, Nelson, sempre que pode, em tempo de férias, passa a vir à casa da tia em São Paulo. Quando se forma, vem a própria Sinhá morar com ele, trazendo o segundo, Nhonhô, também para cursar medicina. O Nelson vai ajudar financeiramente, pois já tem seu consultório no interior. Com a orientação de Cantídio, está trabalhando em Palmital, próximo a Salto Grande.

Começa o namoro entre Pagassu e Nelson, que acaba em casamento. Morando perto, pai e filha, Aninha sempre que pode vai visitá-los, "matando dois coelhos com uma só cajadada", como diria Senhora.

Guajaja, quando termina a escola, já uma moça, passa tempos com o pai, cuidando da casa, pondo ordem nas coisas. Gosta de Salto Grande e adora o pai.

1930-1932

O governo federal, sob a batuta de Washington Luís, vem sofrendo reveses, principalmente com as cotações do café no mercado internacional, prejudicando a economia do país, que vive às custas da monocultura: café, café e mais café. Quando já em fins de governo, dois candidatos disputam a presidência: Júlio Prestes de Albuquerque e Getúlio Dorneles Vargas. Ganha o primeiro. Getúlio não se conforma, acusa a vitória do oponente de fraudulenta, junta seus adeptos – o exército da região Sul é seu aliado – e vem do Rio Grande do Sul a caminho do Rio, engrossando nessa marcha seus seguidores. Depõe, num golpe, Washington Luís, que ainda não passou a presidência ao sucessor, empossa-se. É o fim da primeira república. Apoia-se o novo presidente na Aliança Liberal e forma um governo provisório, prometendo a implantação de um projeto político-liberal-constitucionalizante.

Esse projeto, promessa de nova Constituição, vai sendo adiado, e as intervenções em São Paulo, comandadas pelos "tenentes" e chefes revolucionários de 32, vão criando no Estado grandes disputas. A força política e econômica que tem São Paulo incomoda o governo federal. A população exige que um político civil e paulista seja nomeado interventor no Estado, e não os afilhados de Getúlio. Clama também pela Constituição. Mato Grosso, Minas Gerais e Rio Grande do Sul apoiam as reivindicações de São Paulo.

O movimento reivindicatório cresce a tal ponto que, depois de muita mediação entre as partes e vários interventores terem passado pelo governo de São Paulo, Getúlio nomeia um paulista, civil, como se exige, para o cargo. É Pedro de Toledo. Só que, a essa altura, a base do movimento constitucionalista, formada principalmente pela aliança entre a oligarquia paulista e a classe média, já não aceita a ditadura que se instalou, batendo firme na reforma política e no retorno ao estado de direito. Preparam-se para a luta armada.

Vários motins de rua surgem em São Paulo entre as facções e um deles provoca o empastelamento de dois jornais. *A Razão* e o *Correio da Tarde*, favoráveis ao governo federal. É aí que perdem a vida quatro estudantes: Miragaia, Martins, Dráusio e Camargo. É a gota-d'água! Eles tornam-se heróis do movimento reivindicatório e a sigla MMDC passa a designar a principal sociedade secreta de resistência.

São Paulo se arma, alistam-se jovens, conclama-se o povo em meados de 1932. É preciso mais dinheiro para a indústria de armas, balas, granadas de mão, capacetes, transportes. O governo estadual, alguns dias depois de iniciado o levante – 9 de julho –, lança a campanha de um bônus de guerra (já não se fala em revolução, mas em guerra) que desempenha a função de moeda. Para lastreá-lo, dá início à campanha "Ouro para o bem de São Paulo". É o governo paulista convocando a população a contribuir com suas joias, adornos de metal precioso. É nomeada uma Comissão Diretora da Associação Comercial para centralizar a arrecadação junto aos bancos. Um diploma com os dizeres "Dei ouro para o bem de São Paulo" é entregue aos milhares que contribuem.

Cora, como agora é chamada por todos, está empolgada. A Revolução de 1924, contra o governo de Artur Bernardes, nada alterou em sua vida. Estava no interior e as notícias só chegavam através dos jornais. Nenhum movimento de tropas ou rebelião aconteceu por lá. Do movimento da Coluna Prestes apenas ouviu falar ou leu.

Agora, ela está no coração do movimento. Procura suas poucas joias, sua aliança e as dá ao governo estadual. Recebe seu diploma.

Bretinhas, nos seus dezesseis anos, alista-se, com o incentivo dos pais, no 9º Batalhão de Caçadores da Reserva. Tem um período de adestramento de duas semanas. Recebe sua farda. Chega o dia de partir para a frente das lutas. Cora e Cantídio o acompanham à Estação da Luz, pois pegará o trem até próximo de Itapetininga. Vai desembarcar em Vitorino Camilo com seu batalhão.

Momentos emocionantes, cheios de patriotismo, de dramaticidade, tomam conta da estação. Preces, abraços, júbilo, lágrimas se misturam.

Nos bairros, principalmente no Cambuci, criam-se os batalhões infantis. Os meninos uniformizados, bibi à cabeça, espingardas feitas de cabos de guarda-chuvas ao ombro. As meninas têm seu Corpo de Saúde: avental branco, cruz vermelha na braçadeira. Saem do Cambuci, percorrem a rua da Glória, a rua Bueno de Andrade, a rua Pires da Mota até a avenida Aclimação. São aclamados, incentivados por todo o percurso.

Cora, à máquina de costura, faz bibis, dezenas deles; as vizinhas, braçadeiras, uniformes. Todo o bairro se une, se agita. São Paulo inteira está tomada do espírito constitucionalista, como jamais se imaginou!

Sem notícias do filho, Cora se preocupa. Sabe apenas que mais ou menos pelos dias que desembarcou, houve um confronto sério às margens do rio Paranapanema, dentro do Estado de São Paulo, com tropas gaúchas. Os gaúchos, que, no começo, apoiavam os paulistas, passaram para o lado de Getúlio, combatendo os antigos aliados.

Aguarda. Reza.

Os mineiros também passam para o lado do Governo Provisório, assegurando cooperação na repressão ao movimento que eclodira em São Paulo. Impossível a São Paulo continuar sua luta, sofrendo derrotas em todas as frentes e até bombardeio aéreo contra Campinas e Jundiaí. Em fins de setembro, rende-se. Termina a revolução. O governo revolucionário paulista é deposto a 2 de outubro.

Combatentes começam a chegar à cidade, muitos feridos, em macas, esses encaminhados diretamente aos hospitais.

– Teve notícias do Bretinhas? – perguntam vizinhos.

– Até agora, nada.

Um colega do batalhão do filho chega à sua casa, também na rua Pires da Mota. Cora se apressa em pedir notícias.

– Estivemos juntos até as margens do Paranapanema. Ali, eu fui ferido e me retiraram para a retaguarda, para um hospital de campanha. Não soube mais nada do Bretinhas. Mas ferido por certo não foi, senão teria ido para o hospital onde estive.

Cantídio chega do interior. Juntos, percorrem hospitais, fazem perguntas, localizam companheiros do batalhão. Nada...

– O melhor é você ir a Itapetininga, tomar informações, procurar pela redondeza, aconselha Cora.

– Você continue aqui, contatando antigos combatentes. Não desanime. Tão logo possa, me comunico com você dizendo o resultado de minha viagem.

Dias e dias se passam. As notícias chegam por telegramas indecifráveis, truncados. Até o telégrafo sofre a desordem que se instala, com serviços executados por pessoal inadequado, arranjado à última hora.

A determinação que tem Cantídio de localizar o filho é a mola mestra que o impulsiona. Não desiste. Vai a fazendas, aos vilarejos, indaga. Quando retorna a Itapetininga, sem ter sucesso, é que reencontra o filho. Depois de refrega seríssima com tropas gaúchas, ele refugiou-se com um companheiro, Ari Grelet, em uma lavoura distante, onde foram escondidos pelos sitiantes, ajudando-os na colheita do algodão, até que chegou a notícia do término das lutas. Só então vieram para Angatuba a pé e, depois, na boleia de um caminhão que trazia porcos para Itapetininga. O motorista, enquanto fazia a transação de venda, ouviu a conversa do doutor com um fazendeiro.

Procuro meu rapaz. Esteve por estes lados em combate. Chama-se Brêtas. Deve estar com algum amigo. Tem apenas dezesseis anos.

– Vamos perguntar por aí. Você vai descrevendo como é o menino. Temos visto alguns ex-combatentes percorrendo a cidade. Talvez o encontremos.

Quando volta ao caminhão, o motorista vai perguntando:

– Um de vocês chama Brêtas?

– Eu – responde de pronto o jovem. – Por quê?

– Acho que é seu pai que anda por aqui procurando o filho. Ele estava lá naquela rua. Vai ver, eu fico esperando.

Bretinhas salta rápido e segue a direção indicada.

– Pai, pai! – reconhece ainda de longe.

É emocionante. Cantídio, que sempre se mostrou durão, abraça o rapaz e lágrimas escorrem por sua face. Bretinhas nem acredita! O pesadelo terminou! Voltam para junto do caminhão. Ari e o motorista estão esperando. Agradecem e se despedem. Ari vai com eles.

Quando chegam a São Paulo, uma festa é feita em homenagem aos jovens.

No dia seguinte, logo cedo, Cora acorda o filho.

– Eu fiz uma promessa: quando você voltasse, iríamos todos de casa à igreja da Lapa, a pé, levar velas.

Não adianta reclamar. Levanta-se, toma um café reforçado e já estão a postos vizinhos, amigos, o pai, a mãe, as irmãs. Vão caminhando e rezando o terço pelas ruas. Quando estão na avenida Celso Garcia, encontram os bondes cheios de trabalhadores que, diante daquela inesperada procissão, que segue com velas acesas, gritam em uníssono:

– Quedê o defunto? Quedê o defunto?

Não param. Os jovens ficam envergonhados, mas o que fazer? Têm que pagar a promessa... "Promessa é dívida", lembraria Senhora, se ali estivesse.

A vida do casal está em paz. Cantídio, sempre que pode, vem a São Paulo. Cora, com os filhos moços, apenas a pequena Vicência ainda exigindo sua atenção permanente, passa a se preocupar com os problemas da cidade e, volta e meia, colabora com artigos para o jornal *O Estado de S. Paulo*, manda outros para Jabuticabal, escreve versos, estes guardados.

Em 1933, recebe carta de Senhora Jacintha que conta a mudança da capital de Goiás para Goiânia, cidade projetada para ser a sede do governo por Pedro Ludovico, governador do Estado. Não se conforma Senhora, como muita gente que não aceita sua Goiás "passada pra trás".

"É o fim de nossa cidade; muita gente se mudando: os funcionários públicos, os aventureiros que acham que ali vão fazer grandes negócios, com grandes lucros. Todo mundo desprezando o seu berço, indo em busca do incerto. Não sei como Goiás sobreviverá! A inauguração foi no dia 24 de outubro. Não vou esquecer este dia e nem este ano. A data em que minha cidade morreu..."

Esta carta é guardada como uma relíquia por Cora.

– Tanta revolta... Coitada da mãe! E pensar que nada se pode fazer...

Em março de 1934, recebe telegrama de sua filha Pagassu, comunicando que o pai está doente e que Nelson o levou para Palmital.

– O pai de vocês está doente. Vou embarcar à noite. Vocês vão ter que tomar conta da casa e da Vicência. Espero que se comportem direito. Logo que puder dou notícias, comunica a Guajaja, Bretinhas e Jacintha.

Os jovens estão acostumados, pois ficam sós todas as vezes que a mãe vai para Salto Grande. Porém, agora, terão que tomar conta também da irmãzinha, o que não preocupa Cora, pois conhece bem seus filhos.

Chega a Palmital pela manhã. O genro-sobrinho está na gare, esperando.

– Doutor Cantídio está bastante mal. Tem uma infecção pulmonar séria.

– Corre risco de vida?

– Meu dever de médico é tentar tudo. Espero que ele reaja ao tratamento, mas, no momento, a situação é delicada. Internei-o na Santa Casa de Misericórdia. Pagassu está com ele.

– Vamos passar em casa, ver Sinhá para abraçá-la e deixar esta valise. Depois, vamos à Santa Casa.

A casa está próxima e, em poucos minutos, chegam. Logo se desembaraça da irmã que a quer consolar e vai com Nelson para o hospital.

Cantídio, deitado, com uma máscara de oxigênio para facilitar a respiração, meio inconsciente, nem toma conhecimento de sua presença. A filha, angustiada.

Cora toma todas as informações que pode.

– O pai abusou. Estava com a garganta inflamada, em estado gripal. Teve um júri onde ainda defendeu um cliente, terminando completamente afônico. Não se cuidou e, daí a piorar, foi só um passo.

– Quando ele veio para cá?

– Nelson recebeu o aviso de um cliente que tem em Salto Grande. Quando chegou lá, o pai estava com muita febre e de cama. Isso faz dois dias, foi anteontem.

– Parece que tudo o que podia ser feito o foi. O jeito, agora, é aguardar.

Mas Cantídio não reage. Seu estado se agrava e ele acaba falecendo.

Levam o corpo para a casa de Pagassu e Nelson. É velado e, depois, enterrado no cemitério municipal da cidade.

Só após o enterro, Cora telegrafa para os filhos em São Paulo, comunicando o passamento. Fica mais uns dias ali. Vai a Salto Grande encaixotar os livros, as coisas poucas. Distribui as roupas do falecido, se desfaz dos móveis. Despacha os caixotes para Palmital. Com vagar, vai resolver o que fazer com eles.

De volta a São Paulo já tem algumas ideias. Faz um balanço da situação: o dinheiro de que dispõe é pouco para as despesas com o estudo dos filhos. Depois de pesar prós e contras, opta por abrir uma pensão, com hospedagem e comida. Muita gente de Jabuticabal, com quem sempre manteve amizade, tem seus filhos estudando na capital e também está sempre viajando a negócios. Conta com esse pessoal para sua pensão.

A dor pela perda do marido é grande. Mas o momento não é para lágrimas. Precisa conter sua dor e ser prática. Afinal, agora já não pode contar mais com ele para ajudá-la na formação dos filhos.

Em pouco tempo, aluga uma casa bastante grande na rua Marquês de Itu, próximo ao Colégio Caetano de Campos. Leva seus móveis, compra mais camas e guarda-roupas. Começa com dois estudantes, colegas de Bretinhas, como hóspedes. Uma família conhecida vem de mudança de Jabuticabal e hospeda-se enquanto não chega a mudança.

No começo do ano, Vicência é matriculada no jardim de infância do Caetano de Campos.

Com o movimento crescendo, é admitido um jovem – Lavico – que serve as mesas e entrega marmitas na redondeza. É ele também quem leva e traz Vicência da escola. Este jovem aquerencia-se tanto à família que é considerado como se a ela pertencesse.

Cora é muito querida de todos os seus pensionistas e sua comida é elogiada sempre. Tudo vai bem. Já não sente mais tanta tristeza pela morte de Cantídio. Mas o trabalho é tanto que começa a pesar. Auxiliares sempre são problemas: saem, faltam constantemente. Além disso, com o desenvolvimento do parque industrial, a cada dia mais difícil se torna o empregado doméstico, todos procurando as fábricas, tornando-se operários, o que significa subir na escala social.

Compra os alimentos no mercado, cozinha auxiliada apenas por uma ajudante, dirige toda a pensão, atende aos filhos. Tem muitas alegrias com os jovens, seus hóspedes, com os filhos e os amigos deles, que estão sempre por ali. Mas se desgasta a cada dia.

Chega o momento em que se vê coagida a vender a pensão. Está exausta. Passa a responsabilidade pelos hóspedes e empregados para um novo proprietário.

Com o dinheiro apurado e os aluguéis do interior, vai levando a casa, agora em Pinheiros. Dedica-se a escrever artigos para os jornais, sempre abordando os problemas do bairro, da cidade. Fica conhecida e é convidada a fazer parte da Associação dos Amigos da Cidade, que, por seus escritos, percebe nela uma lutadora nata, forte, decidida.

Uma das amizades recentes é com a família de José Olímpio, que tem uma editora. José, seu irmão, Antônio Olavo, a mãe e as irmãs. O mais jovem da casa é mais ou menos da idade de Vicência. Muitas vezes, vai à casa dos novos amigos para longos papos, inteligentes, atualizados. As duas crianças brincam enquanto está lá.

– Sempre estamos precisando de vendedores para os nossos livros. A senhora não gostaria de tentar a venda? Terá comissões e seu horário de trabalho será de acordo com sua conveniência – propõe José, certa ocasião.

– Não tenho experiência alguma, mas posso tentar. Realmente, estou precisando reforçar o orçamento doméstico.

Vai à editora, conversa com um vendedor que encontra. Entusiasma-se. Adora ler e, assim, cada livro que carrega já foi lido e, quando oferece, discorre sobre o assunto de maneira eloquente, despertando interesse no futuro comprador. Vai se saindo muito bem. Trabalho não falta. Tem encomendas a cada contato com livrarias, com famílias, pois percorre bairros, de porta em porta.

Enquanto isso, Bretinhas se prepara para a Escola Naval, mas não passa nos exames. Espera, então, o concurso da Escola Militar. Emprega-se na transportadora que Nelson, em Palmital, organiza para levar gasolina de São Paulo para o interior. A filha casada já lhe deu duas netas: Maria Luiza e Maria Helena. Guajaja resolve ir lecionar no interior. Jacintha cursa duas escolas ao mesmo tempo: a Normal Padre Anchieta e a primeira turma da Escola de Educação Física. A caçula entra para o primário numa escola germano-brasileira, em Pinheiros.

– Até aula de alemão ela recebe! – conta Cora, entusiasmada.

Bretinhas consegue passar nos exames e vai para a Escola Militar do Realengo, no Estado do Rio.

Cora, que nunca perdeu o contato com Lavico, o jovem que trabalhou na pensão, passa um longo período sem notícias. Resolve visitá-lo e a seus pais. Lavico está muito doente dos pulmões. Sem perda de tempo, providencia a ida dele para São Roque, onde há um sanatório perto da cidade.

Acompanha sua doença através de cartas. Lavico sempre pede sua presença, mas, na atividade de vender os livros, vai protelando a visita até que recebe a notícia de sua morte. É difícil para Cora saber o quanto era desejo do rapaz vê-la, mas sua vida é corrida, organizando suas vendas enquanto Vicência está na escola, cozinhando e lavando, às vezes à noite. Não havia tempo para mais nada. Lamenta-se, pois teve grande afeto por ele. Mais uma morte a chorar.

Os amigos da rua Pires da Mota continuam. Nunca lhe faltam nas horas difíceis, trazendo sempre alegria expansiva, palavra animadora.

Depois da formatura de Jacintha, orientadas por amigos, vão à Secretaria de Educação, onde procuram saber sobre a criação de escolas pelo interior. Jacintha quer ser professora de Educação Física, apesar de também ter terminado o Curso Normal. Não conseguem nada.

Nos dias subsequentes, comparece impreterivelmente com Jacintha à Secretaria. Até faz amizade com outras pessoas na mesma situação. Ao chegar certa manhã, fica sabendo da criação de um ginásio estadual em Penápolis. O decreto já foi assinado pelo governador. É chegada a hora de preencher os cargos. Cora e ela recorrem a conhecidos, percorrem gabinetes, até que a nomeação é conseguida.

– Agora, vamos ver o que conseguimos saber sobre a cidade.

Cora é toda animação.

– Tive uma colega que veio de Araçatuba. Vou procurá-la, sei onde mora – diz Jacintha.

– Ótimo. Vai mesmo. E eu procuro entre amigos.

À noite, têm as duas novidades. Jacintha tem até um pouco da história da cidade anotado.

– Escuta, mãe: foram terras loteadas em 1907, por Manoel Bento da Cruz. No ano seguinte, os frades capuchinhos se instalaram ali, num convento. Eles estão lá até hoje. O primeiro nome foi Santa Cruz do Avanhandava.

– Por que Penápolis?

– Homenagem ao presidente Afonso Pena.

– Eu soube que a cidade é boa. Muito quente, entretanto. Aquela região é de calor. Tem de tudo – diz Cora.

– Tenho vontade de conhecer logo.

– Penso ser conveniente você ir antes do início das aulas. Terá que viajar de trem. Procure uma pensão, acerte para hospedar-se enquanto não aluga uma casa. Tão logo consiga isso, avise que eu despacho em pouco tempo nossas coisas e sigo com Vicência.

Quando sai a nomeação no *Diário Oficial* do Estado, Jacintha se prepara para a viagem. Cora a acompanha até a estação. Já sabem que terá de fazer baldeação em Bauru, pois Penápolis está na estrada Noroeste. A jovem está pronta para tudo e animada com esse primeiro emprego de sua vida. Leva uma indicação de uma família local que poderá orientá-la.

Ao chegar a Penápolis, procura o endereço que tem. É prontamente recebida e fica hospedada ali. Mais duas jovens se encontram morando nessa mesma casa. Elas também vão lecionar no recém-criado ginásio. À noite, escreve à mãe.

Aos poucos, Cora vai encaixotando as louças, panelas, roupas da família. Vende alguns móveis, pois, com a saída de Bretinhas e Guajaja, alguns se tornaram desnecessários.

Visita a família Pereira, para comunicar sua mudança brevemente, e entregar livros que ainda tem consigo e uma lista de pedidos com nomes e endereços. Uma sólida amizade foi plantada, e ela sabe que, mesmo longe, será sempre querida. Vai à rua Pires da Mota rever e se despedir dos insubstituíveis italianos. Luiza, que já está casada com Moacir, tem uma filhinha, Maria Aparecida. Os avós, felizes com a chegada da neta, tanto fizeram que o jovem casal concordou em vir morar junto.

– Uma casa tão grande! Perque ficá só os dois velho nela? – dona Josefa se justifica.

– Eles não saberiam ficar longe da neta, dona Cora. Essa é a verdade – diz Luiza, satisfeita também com o arranjo.

Passa uma tarde agradável com os amigos. Despede-se dos outros amigos italianos da rua. Chega à casa da coparente Esmeralda. Só estão ela e Guilhermina. Os moços estão no trabalho. Promete escrever, mandar endereço, tão logo se instale no interior.

Em Penápolis, Jacintha encontra uma casa adequada à necessidade das três. Tem um jardim à frente e um quintal bem grande. Água ainda é de poço nesta rua, mas, conhecendo bem a disposição da mãe, sabe que ali estarão bem. Aluga. Comunica à mãe por telefone. Cora só está esperando por isso, pois tem tudo pronto para a mudança. Os móveis, engradados, são levados por um caminhão e despachados por via férrea. Ainda fica uns dias em São Paulo, dando tempo para que as coisas cheguem primeiro.

Hospeda-se em casa de uma amiga, dona Clotilde, por uns dias. Ela mora numa rua toda arborizada e, justo nesta época, as árvores estão com suas favas de semente maduras; às tardes, passeia um pouco com Vicência e, para distraí-la, vai catando as sementes que a pequena coloca em um saquinho de papel. Quando chega a noite, distrai-se a fazer montinhos de sementes, contar e recontar.

– Quero levar minhas sementinhas, quando viajar.

– Que bobagem! Você vai encontrar outras lá em Penápolis.

– Mas essas são tão bonitinhas! Escolho só as iguaisinhas. As outras jogo fora, prometo.

– Está bem. Mas lembre-se de que você é quem vai carregá-las, pois tenho valise e embrulhos e não dá para levar mais nada.

– Eu carrego. Não vou pedir para você.

Já em Penápolis, conversa com Jacintha.

– Veja você, minha filha, como são as coisas: Vicência insistiu para trazer as sementes. Aqui, nem ligou para elas, jogou no quintal. Agora, tenho pelo menos uma centena de pequeninas mudas. Sabe o que vou fazer? Vou arranjar latas e transplantá-las.

– Mas é muda demais, mãe. Onde a senhora vai colocar tanta lata? Jacintha está perplexa.

– Vou enfileirando até o fundo do quintal, até a "casinha".

Já estão instaladas. Cora, como já se acostumou a ser chamada desde os tempos que vivia com o doutor, chegou no dia seguinte à mudança e, com a ajuda da filha, logo colocou ordem na casa. Estão a uma quadra do ginásio.

Conhece logo os vizinhos que aparecem oferecendo seus préstimos, pessoas prontas para auxiliar as recém-chegadas.

Quando decide cuidar das mudinhas, levanta-se bem cedo e fica à espera do caminhão de lixo. Quer conversar com os homens encarregados da coleta, pedir a eles que separem as latas grandes, de preferência as de vinte litros de óleo comestível ou de querosene. Promete uma gratificação.

Em pouco tempo, tem algumas que logo enche de terra com esterco e planta uma muda em cada. Vai colocando lado a lado, no caminho que leva à fossa sanitária. Diverte-se cuidando das plantas. Remove as bananeiras que já deram frutos – banana-ouro, como logo constata – e planta mais frutas. Não descuida do jardim e volta a ter suas roseiras.

Vicência é matriculada no grupo escolar e Jacintha, que dá aulas só no período da manhã, emprega-se à tarde na prefeitura.

Morando logo atrás da igreja dos capuchinhos, Santuário de São Francisco de Assis, Cora passa a frequentar a missa diária às seis horas da manhã. Quando volta é que as filhas saem. Tem bastante tempo para cuidar dos afazeres domésticos, das refeições e das plantas.

Volta a escrever. Manda artigos para Jabuticabal, de onde nunca perdeu o contato. Corresponde-se com amigos, com a família, com as irmãs. É uma leitora certa dos jornais. Nunca está por fora dos acontecimentos. Acompanha a política de Getúlio com interesse. Outro tema que os jornais exploram ao máximo é a epopeia e perseguição a Lampião – Virgulino Ferreira da Silva –, hora dando razão a ele, hora condenando suas ações, quando passa a matar sem mais aquela. Até a morte de Lampião, na fazenda Angicos, no sertão sergipano, isso já em agosto de 1938, não perde as notícias.

O tempo passa. Jacintha conhece Flávio, um jovem bancário, com quem começa um namoro. Meses depois, já estão noivos, com casamento marcado.

As mudas, nas latas, já são uma centena. O quintal está uma beleza. Surge a ideia de vender. Mas, para quem?

Por intermédio da filha, vai à Prefeitura e tem um encontro com o prefeito.

Entra direto no assunto:

– A cidade é muito quente. Se for arborizada, além do visual bonito, ficará mais agradável. Tenho mudas de árvores próprias para rua, suficientes para as quadras principais.

O prefeito reluta um pouco. Ouve as opiniões de auxiliares e resolve comprar para arborizar apenas a rua principal.

– Vou precisar das latas de volta.

Negócio fechado. Mesmo assim, tem árvores demais. Escreve para as Prefeituras de Araçatuba e Promissão, e logo aparecem representantes das duas cidades e levam as restantes, que estão do tamanho bom para serem transportadas.

Cora providencia a vinda de mais sementes. Seu negócio, iniciado ao acaso, progride. Fornece mudas para mais ruas de Penápolis.

Com o casamento da filha marcado, a preocupação agora é também com o enxoval. O jovem Flávio quer porque quer casar-se em Aparecida do Norte. Enxoval feito, convites distribuídos, família avisada.

– São poucas as ocasiões para reunir todos os filhos. Quem sabe, agora consiga, é a ideia de Cora.

De fato, Bretinhas vem do Rio, com seu vistoso uniforme de cadete, conquistando elogios unânimes; Pagassu e Nelson, com seus três filhos; a mana Sinhá; os parentes do noivo; a figura patriarcal do avô de Flávio, lembrando seu próprio avô, comandando, regendo o grupo familiar, as jovens irmãs. Flávio leva seu grande amigo Gualter para padrinho. É uma cerimônia simples, com um grupo pequeno, mas marcante.

Depois do casamento, um almoço unindo a todos e os jovens partem em lua de mel. Cora vai passar uns dias em Palmital, com a filha Pagassu, levando a caçula.

Ao tornar a Penápolis, onde deixou pessoas de confiança tomando conta da casa, sabe que Jacintha e Flávio vão morar em Bauru, para onde o genro foi transferido. A filha apenas fica afastada do ginásio, de licença.

Agora, sozinha com Vicência, resolve acabar com as plantas que proporcionam dinheiro, porém aos poucos, às vezes com espaço de mês entre uma venda e outra. Tem facilidade no trato com as pessoas e é ótima cozinheira. Muitos jovens, amigos da filha, algumas vezes têm reclamado da falta de opção de hospedagem que a cidade proporciona. A experiência que teve em São Paulo, com a pensão, foi boa. Apenas as coisas cresceram em tal proporção que a fadiga foi demais.

Passa a servir refeições e sua comida é disputada. Fregueses não faltam. Tem comensais para almoço e jantar diários: Gualter, Joaquim, doutor De Cunto, doutor Jadir. Resolve receber hóspedes, poucos, e continuar com as refeições. Logo, recebe uma oferta para alugar um espaço amplo, na casa ao lado, onde já existiu uma farmácia. Montar para refeições é a ideia, porém, crescer por esse lado requer mais pessoal para a cozinha, coisa sempre difícil.

Reflete bastante. Talvez esteja na hora de mudar de atividade. Faz uma pesquisa entre seus hóspedes, seus amigos e conhecidos. Ajeita as coisas para deixar a pensão por três dias e vai a São Paulo. Conhece muita gente, inclusive atacadistas de tecidos da rua 25 de Março e do Bom Retiro. Conversa, troca ideias. Decide passar para a frente a pensão e tentar o ramo de venda de tecidos, porém, uma coisa diferente: retalhos.

Pretende comprar aos quilos em São Paulo e vender aos metros ou pedaços mesmo. Com facilidade, encontra compradores para a pensão. Aluga o espaço da antiga farmácia. Muda-se para uma casa pequena, na mesma rua, no fundo de um cartório.

Contrata pintor e marceneiro para preparar o lugar. Registra junto à Prefeitura o estabelecimento: Casa dos Retalhos. Quando está tudo bem encaminhado, deixa Vicência com amigos e vai fazer compras na capital.

Instalada a Casa, com sucesso, contrata dois auxiliares: um rapaz chamado Olívio e uma moça, a Elza. Faz amizade com o pessoal do comércio: os Sayeg, os Rahal, que vendem tecidos; os Nori e Monteiro, farmacêuticos; Joaquim Sampaio e tantos outros, com seus armazéns. É um grupo grande. Constata as dificuldades atinentes a todos os comerciantes, convoca-os a que se unam e criem uma associação comercial.

Levanta a questão através do jornal *O Penapolense*, faz reuniões, conversa com quase todos pessoalmente – grandes e pequenos comerciantes, não importa. Seu entusiasmo a todos contagia.

A filha mais nova, terminado seu curso primário, presta exame de admissão e entra para o ginasial. Elza, sua mão direita na loja, torna-se a cada dia mais indispensável, além de boa vendedora, está sempre atenta ao jovem Olívio, preparando as entregas a domicílio dos pacotes. Quando é necessário dá uma mão na casa, onde é tida como da família. No período das férias escolares, Guajaja vem passá-las em Penápolis e, como é muito prestimosa e ordeira, põe tudo nos eixos na casa, pois Cora, atendendo à loja, reuniões infindáveis para a criação da Associação e, agora, pertencendo à Ordem Terceira de São Francisco, pouco tempo tem.

O filho termina a Escola Militar. Está pronto a iniciar sua carreira e é designado para Campo Grande, no Mato Grosso. Cora está feliz. Antes de seguir para seu posto, o filho passa uns dias com a mãe e as irmãs.

Entre as muitas pessoas do relacionamento de Cora está um casal de sitiantes: seu Francisco e dona Gracinda. Aos domingos, Cora e Vicência costumam passar a tarde com a família.

– A senhora já ouviu falar de umas cidades novas que estão surgindo perto da divisa do Estado, continuando pela estrada Noroeste?

– Sim, tenho lido nos jornais. Região de grande futuro, pelo que parece.

– A senhora acredita nisso, dona Cora? – Gracinda está curiosa.

– É possível. Já li bastante coisa sobre Andradina. Até conheço quem começou, quem fundou. Chama-se Antônio Joaquim de Andrade. Ele era de Jabuticabal, onde tinha uma firma exportadora de café com Guilherme de Moura. A firma era a Companhia Moura Andrade. No começo, ele era gerente do Moura, depois ficou sócio.

– E Alfredo de Castilho, também por ali, a senhora já ouviu falar?

– Não me lembro bem, mas há uma porção de novas cidades naquela região. Afinal, por que está interessada?

– Francisco entrou na conversa de um compadre e acabou comprando seis alqueires de terra virgem, imagine só! Ficam em Alfredo de Castilho. Pode?

– Ora, Gracinda, o compadre é homem sério e não ia me enganar. Eu tinha o dinheiro à mão. Todos os papéis estavam em ordem, tudo registrado, nos conformes da lei. Acredito na valorização dessas terras novas – justifica-se Francisco.

– Eu também acho que terra é bom negócio. Não vejo a razão de sua preocupação, minha amiga.

– A senhora não sabe: ele comprou sem ver... Tem outra coisa: aqui tenho minhas raízes, minha família e não estamos mais no tempo de aventuras. Nem pensar em mudar, abrir sítio em outras plagas – Gracinda está firme em sua determinação.

– Bem, por enquanto, não tenho planos para esses alqueires. Não precisa se amofinar. Quem sabe, mais adiante passo pra frente.

A conversa muda de rumo.

Cora já nem lembra mais dela até que recebe carta de dona Cotinha, de Jabuticabal, contando o que tem de gente se mudando para as terras dos Moura Andrade, que facilitam tanto a compra de casas, sítios, terrenos, que se torna irresistível o apelo. Nomeia amigos comuns que já se foram.

Cora fica curiosa.

– Então, o negócio está se espalhando. Deve estar dando certo a nova cidade! Janeiro é mês meio morto para o comércio. As vendas são poucas. Quem teve de comprar já o fez em dezembro, mês das festas. Resolve aproveitar e ir conhecer a tão falada Andradina, rever velhos amigos. Guajaja está em casa para cuidar de Vicência. Prepara-se e pega o trem da Noroeste. São seis horas de viagem. O calor e a poeira não desanimam Cora. Vai conhecendo, pela janela do vagão, a região. Algumas cidades já bem desenvolvidas, depois de Araçatuba que é a maior. Lavouras novas, muito movimento nas estações. Ao cair da tarde, chega à cidade. Traz apenas uma valise leve. Ao sair da estação, atravessa a rua e encontra um prédio grande: Casa Bancária Moura Andrade. Está aberta.

– Vou começar por aqui – pensa.

Na sala da gerência, avista logo o primeiro conhecido, Virgílio Guerreiro. É reconhecida também.

– Ora, ora, quem diria! Dona Cora aqui! Que satisfação!

Seu Virgílio chama um auxiliar.

– Lembra do João? João Teodoro, também de Jabuticabal?

– Claro. Como está?

A conversa se prolonga. Agora é dona Elza quem chega, esposa de outro jabuticabalense, Frederico. Ambos trabalham na Casa Bancária.

– Isso está parecendo uma reunião na própria Jabuticabal!

– E tem muitos outros. A senhora vai ver.

Inteira-se dos pormenores.

– O senhor Antônio Joaquim de Moura Andrade, como agora é registrado, comprou terras nessa região, muita terra. Resolveu lotear em pequenas propriedades e só daí a iniciar uma cidade foi só um passo. Quase tudo pertence a ele: há vilas de casas que aluga, hotel, armazéns. Instalou luz elétrica, de motor, na parte central. Está presente em tudo. A fundação oficial foi em julho de 1937. Tem crescido a olhos vistos! O nosso primeiro prefeito a senhora também conhece: Evandro Calvoso.

– Lembro de uma profecia de Euclides da Cunha: "No vértice do caudaloso Paraná com o lendário Tietê, surgirá uma grande metrópole" – diz Cora, sempre de ótima memória.

– Pode escrever, é isso mesmo!

Virgílio Guerreiro é um entusiasta inabalável.

Cora é convidada a hospedar-se em casa de dona Elza. Aceita. Despede-se de todos, pois é chegada a hora de fechar a Casa Bancária.

A conversa continua na casa dos amigos. Fica ciente de tudo sobre a cidade. O ânimo daquela gente é contagiante!

Na manhã seguinte, começa sua peregrinação por casas de antigos amigos. Dona Elza conhece todos e a acompanha por algumas, pois só vai trabalhar à tarde. Por todo lado, movimento, trabalho. As ruas ainda são de terra, assim como os passeios. Poeira, fumaça das queimadas próximas, calor. Mas quem está preocupado com isso? Carroças, cavaleiros, caminhões, charretes a se cruzarem. Um vaivém sem fim. É a terra prometida para muitos, não há dúvida!

– A senhora deveria vir morar aqui, dona Cora. Traga sua loja. Tenho um salão muito grande para minha sapataria e posso alugar a metade para a senhora – diz

Miguel Recco, um jovem que está ali desde o comecinho da cidade.

– A tentação é grande. Quem sabe?

– A senhora não pode demorar para resolver. O momento é agora! Os que chegam na frente têm mais oportunidade. Daqui a pouco, vai ser tão difícil se instalar que muitos perderão o lance de hoje.

– Estou vendo que construções tem uma atrás da outra.

– Mesmo assim, ainda faltam casas, armazéns. É muita gente chegando. Terras há bastante, mas em matéria de acomodação tudo é precário.

– Quando a senhora vai se tornar uma bandeirante como nós? – pergunta Humberto Passarelli, que têm serraria ali.

– Bandeirante é coisa de homem – responde Cora.

– A senhora vale por dois. Junte-se a nós.

Quando toma o trem de volta a Penápolis, já se decidiu. Vai aceitar o desafio. Irá para Andradina.

Ainda na estação, encontra mais um objeto da realidade concreta, da pujança da região: bem amontoadas, presas por fortes estacas, quatro enormes toras de madeira, com mais de metro de diâmetro cada. Em cima, com letras garrafais: "ESTA É A PROVA DA FERTILIDADE DAS TERRAS DE ANDRADINA".

De Penápolis, escreve ao senhor Virgílio, contando sua intenção e pedindo que reserve uma das casas do conjunto que Moura Andrade constrói e que teve oportunidade de ver. Mais ou menos, estará lá em dois meses. Recebe resposta prontamente.

Elza, que a ajuda na loja, tem vontade de sair da cidade, ter sua vida. A família concorda que viaje com Cora. Será sua companheira, não apenas uma auxiliar.

Quando vence a licença de Jacintha no ginásio, o marido consegue sua transferência, com promoção para a agência do banco, outra vez, em Penápolis. Isso vai resolver um problema para Cora: Andradina ainda não tem curso ginasial e cortar os estudos da filha caçula não está em seu programa. Daí, tudo fica bem com Vicência em casa de Jacintha.

Conversando com Francisco e Gracinda, resolve comprar as terras que eles têm em Alfredo de Castilho.

– Também sem olhar? – Gracinda está estupefata.

– Confio em Francisco. Ele também confiou no compadre que vendeu.

– A senhora é quem sabe.

Para esses gastos, avisa o cunhado em Jabuticabal, que pretende vender as duas casas, que estão alugadas. Antes de ir para Andradina, ainda vai a Jabuticabal fechar os negócios, assinar escritura de venda. Revê a irmã, o sobrinho, os amigos.

Em Andradina, monta sua loja. Não irá vender só retalhos. Mescla, brim, algodão cru são tecidos resistentes ao trabalho árduo daqueles modernos bandeirantes que povoam a cidade. Agora, a loja passa a se chamar Casa Borboleta. Logo desperta a atenção dos fregueses, pois manda pintar uma faixa larga, de algodão cru, com a palavra Casa e, na frente, uma bonita borboleta colorida, grande, visível por quantos passam na rua.

A casa alugada “na vila” é simples, como tudo ali, mas suficiente para ela, Elza, Vicência e Guajaja, quando vier de férias.

Paulatinamente, incorpora-se à população. Participa com gosto daqueles primórdios da cidade. É uma festa acompanhar o crescimento, o desenvolvimento. Quando se sente completamente integrada, leva avante o projeto de abrir um sítio naqueles alqueires de Alfredo de Castilho, que já teve ocasião de ir ver. Castilho é a vila perto de Andradina, a primeira estação indo para o lado do rio Paraná. Realmente, é mata virgem, como já dizia Gracinda. Contrata gente do próprio Castilho para derrubar parte da mata. Com o dinheiro apurado com a venda da madeira para a estrada de ferro, paga os trabalhadores e manda construir dois galpões rústicos: um para os trabalhadores e outro para quando vier acompanhar os serviços, pois toda vez que tem que estar lá toma o trem da manhã e volta à noite.

Entre “seus homens”, a maioria vem do Nordeste, migrantes atrás da “Fortuna das terras paulistas”. Um deles logo se sobressai: é incansável de uma simplicidade franciscana – seu Vicente Tomé. Conhecendo-o melhor, designa-o seu capataz, como é de costume.

– Sua família, seu Vicente, onde está?

– Pernambuco, dona. Aqui no Estado só tenho um irmão que mora em Tupã e o restante está lá, no Pernambuco mesmo.

Seu Vicente é pé de boi, como se diz no meio rural. É o primeiro a pegar a enxada, o último a largá-la.

Depois da derrubada de uma parte da mata, tirada a madeira, chega a hora de pôr fogo. Os homens agora passam às coivaras. Em pouco tempo, o terreno está limpo, arado, pronto para a semeadura, tão logo caiam as primeiras chuvas. Vão plantar milho e, depois, quando este já estiver colhido, feijão, que se enrodilhará no caule seco do milho.

O desafio de tornar-se lavradora vai sendo vencido. Não é fácil lidar com esses homens rústicos da terra, mas sua personalidade forte, sua facilidade para passar ordens sem molestar os brios dos outros, são suas armas. Impõe-se sabiamente.

Neste momento, precisando de enxadas para os homens, tem penado, procurando no comércio de Andradina, de Castilho e até no de Três Lagoas, no Estado vizinho. Com a Segunda Guerra Mundial deflagrada, embora o país não esteja mandando seus homens, já participou do esforço de guerra com os Aliados, com sua indústria e seu aço, deixando, com isso, os lavradores numa situação crítica, onde ferramentas elementares e insubstituíveis como a enxada faltam no mercado.

Certa manhã, ao chegar de trem, como é seu costume, para acompanhar o andamento dos serviços no sítio, encontra um movimento inusitado no pequeno Castilho.

– O que está acontecendo? – pergunta ao chefe da estação.

– Tem um sujeito visitando a cidade. Veio ver o que nós precisamos. Acho que o homem é importante.

– Ah! Veio saber do que precisamos? Vou ver isso de perto.

A aglomeração é à porta de um armazém de beneficiamento de arroz. Ao se aproximar, vê o grupo cercando o deputado J. J. Abdalla, que já conhece de vista, pois ele tem terras no município de Andradina. Acerca-se. Estão colocando uma mesa com algumas cadeiras para o grupo de visitantes. O pessoal do lugar permanece de pé.

Realmente, o deputado, em véspera de eleição, procura seu eleitorado, ouve suas reivindicações, procura garantir seus votos. Em poucas palavras, expõe suas esperanças de ser reeleito e faz suas promessas. Termina perguntando em que pode servir a população.

Calam-se todos. Aguardam.

Cora não tem dúvidas, é com ela mesmo.

– Senhor deputado, suas palavras demonstram preocupação e interesse por nossos problemas. Bem sabe o senhor, homem também da lavoura, o que sofremos neste momento. As Casas da Lavoura contam, agora, com uma quantidade irrisória de sementes vindas do Instituto Agronômico, para nossas necessidades. Não bastasse isso, não há enxada. Onde já se viu um país essencialmente agrícola não ter a mais elementar das ferramentas que um homem da terra precisa? Se o senhor realmente quer saber o que fazer por esta cidade, por esta região, aí está: ajude-nos a encontrar enxadas.

Aplausos, abraços. É o problema geral daqueles que labutam a terra e ali é um pedaço do Estado que só vive da lavoura, todos sentindo na carne a dificuldade presente.

Acaba-se, depois disso, a reunião. Nem é para menos! Mas ainda ouve-se a voz do deputado, prometendo providências.

Alma lavada, sai Cora com um pequeno grupo e, depois, vai para seu sítio, a pé mesmo, pois está bem perto, e dá andamento ao que veio fazer.

– Pois não é que o deputado fez sua parte! – comenta Cora com vizinhos, tempos depois. O Banco do Estado recebeu um lote com algumas centenas de enxadas o está vendendo aos agricultores por preço abaixo dos nossos comerciantes!

– Êta mulher pai d'égua! – dizem os que já a conhecem e que ficam sabendo de sua atuação em Castilho.

Aparece em Andradina o filho de Moura Andrade, Auro, que é candidato a deputado. Vai fazer um comício à noite, no qual Cora é convidada a falar, saindo-se muito bem. Depois disso, toda vez que há comemorações mais relevantes, festividades, o aniversário da imigração japonesa – 40 anos (Andradina e toda a região noroeste têm grande contingente de imigrantes japoneses) –, ela é sempre uma das oradoras. No comércio, é bem conhecida, pois sua loja, no coração da rua principal, a Paes Leme, tem ótimo movimento. Depois de desbravar suas terras em Alfredo de Castilho, obtendo ali uma ótima safra de milho, firma-se também como lavradora.

Nem tudo é fácil em sua vida, mas a luta faz parte de seu cotidiano e não é mulher de desistir quando as coisas não vão bem.

Escreve um "Poema do Milho", após sua própria colheita, belíssimo, e o mostra para alguns amigos que não poupam elogios. Guarda-o, como sempre, agora já pensando na possibilidade de publicar um livro, "quando for o momento oportuno", como costuma dizer.

Em conversa com Virgílio Guerreiro, da Casa Bancária, fica sabendo que a companhia tem um sítio, a uns cinco quilômetros da cidade, cujo comprador desistiu: já está em formação, tendo até uma pequena casa. Facilidades para a compra terá, se quiser. Resolve ir ver e, depois, compra. É pequeno, cerca de cinco alqueires, mas à beira da estrada que liga Andradina a Tupi, região nova de terras boas, tamanho bom para ela que pouca experiência tem, mas é ousada.

Precisa vender a loja para apurar dinheiro, pois vai ser necessária uma reforma na casa e construção de um barracão para abrigar os empregados.

Convence seu cunhado Augusto a vir com a irmã Peixotinha passar uns meses em Andradina, para que ele, ajudado por um pedreiro local, refaça a casa, levante o barracão. É muito bom ter a irmã junto, tanto que arranja para o sobrinho e afilhado um cargo no Banco Noroeste e desfruta deste convívio gostoso com os parentes.

O sítio fica no bairro chamado Barro Preto e está cercado por outras pequenas propriedades, e, assim, vai conhecendo um a um seus vizinhos, tornando-se amiga e, muitas vezes, comadre: Nicanor, compadre Déo, Joaquim Pires, seu Chiquinho, Nivaldo, seu Paiva são os mais próximos.

Há um pedaço de terra em seu sítio que tem um pasto maltratado. Gado não pretende ter, apenas um burro para puxar a carroça e trabalhar na moenda: com a Guerra Mundial em andamento, tem faltado açúcar no comércio e, tendo um bom canavial, fabrica rapadura para seu próprio consumo e para vender. Resolve ter uma conversa com o engenheiro agrônomo lotado em Andradina e que atende numa das salas da Prefeitura e responde pela Casa da Lavoura.

– Bom dia, doutor.

– Entra, dona Cora, faça o favor. Em que posso servi-la?

– Tenho um pedaço de terra, uns dois alqueires somente, que gostaria de usar para plantar algodão. Parece que a terra serve para ele, pois meus vizinhos têm tido bom resultado com essa lavoura. Vim pedir ao senhor orientação e ver se tem semente boa.

– Que tipo de terreno é?

– É um declive, mas gostaria que o senhor fosse ver e desse sua opinião.

– Pois não. Irei ver. Que tal amanhã?

– O senhor pode passar em minha casa que iremos juntos. Fico aguardando.

– Amanhã, às oito, sem falta.

– Obrigada, doutor. Só que, da próxima vez que vier aqui, espero que o senhor me ofereça uma cadeira.

– Dona Cora, desculpa, desculpa. Realmente, fui grosseiro. Mil perdões!

– Está bom. Conto com o senhor amanhã.

O agrônomo não sabe onde enfiar a cara. Também não é para menos...

Na manhã seguinte, pontualmente no horário combinado, o jipe da Casa da Lavoura pega Cora e seguem para o sítio. Vão trocando ideias sobre problemas do campo, falta de sementes selecionadas, guerra.

– Aqui estamos, doutor. Vou coar um café fresquinho para nós e depois vemos o terreno.

Quando estão tomando o café, chega o compadre Deó. Vem avisar que fará uma farinhada no próximo fim de semana e se ela quiser mandar sua mandioca, que sabe, tem bastante, está às ordens, ficando com uma parte, por conta do trabalho, como é usual.

– Compadre, vou aceitar a farinhada. Mando a mandioca já descascada e lavada e um trabalhador para ajudar.

Cora, depois, apresenta o agrônomo:

– Esse doutor que está aqui é o agrônomo da cidade. Ele veio ver se aquele pedaço de terra que tenho sem uso presta para alguma coisa. O senhor não quer nos acompanhar nessa vistoria?

– Vou sim, senhora. Tenho curiosidade de ouvir o que ele acha, pois minhas terras são que nem aqui, do mesmo tipo.

– Primeiro um cafezinho, compadre.

Saem os três para o terreiro. O agrônomo anda de baixo para cima, de ponta a ponta, observando, apanhando torrões de terra. Examina a inclinação do terreno, pondera.

– Dona Cora, garanto que aqui vai dar um bom algodão e tenho uma sugestão importante: faça curvas de nível, para evitar a erosão. Não vai perder nada do que plantar, tenho certeza.

– Mas, doutor, como fazer curvas de nível se trabalhador algum por aqui ouviu falar delas e nunca as viu?

– Não se preocupe. Façamos um trato: eu entro com a máquina e o trabalho, e a senhora convida seus vizinhos para assistirem à demonstração. Faço uma preleção primeiro, alertando-os para a necessidade deste procedimento e ensino como é, na prática. Faz parte de meu trabalho reuniões desse tipo e aproveitamos a oportunidade. Que me diz?

– Ora, doutor, aprovo cem por cento. Ainda saio lucrando com seu trabalho de graça!

– A senhora tem apenas de mandar carpir bem, destocar alguns tocos que vi por ali e deixar limpo. Quando estiver em ordem, mande me avisar que marco o dia para vir e a senhora comunica aos outros. O próximo mês é época certa de plantio e devo ter sementes boas para lhe vender. Quando a primeira chuva da temporada chegar, a senhora vai ver a beleza, as sementes brotando!

– Certo, doutor, vou providenciar.

– Pelo menos, posso me redimir da falta de jeito ontem...

– Já tinha me esquecido, não se apoquente.

No dia aprazado, vizinhos vão chegando logo cedo. Muitos convidaram conhecidos que têm terras mais distantes. Um café forte, adoçado com boa rapadura feita ali mesmo, vai sendo servido várias vezes. O engenheiro já está a postos desde a manhãzinha. Sai Cora com os amigos, a observar o que vem a ser, na prática, tal curva de nível. Tudo corre a contento: sitiantes contentes, agrônomo realizado, Cora com seu terreno pronto para passar o arado e semear.

"Uma mão lava a outra", já dizia São Francisco de Assis.

O tempo foi favorável, com chuva e sol na hora certa. O algodoeiro cresceu bonito e muitas arrobas foram colhidas de alvas plumas. O preço alcançado na praça, com a Anderson Clayton, compensatório, pois o governo tem um compromisso com os Estados Unidos para exportar, no esforço de guerra que ainda persiste.

Com o dinheiro, depois de pagos todos os compromissos, compra mais um pedaço de terra, um pouco mais à frente, porém próximo o suficiente para ir a pé. Completa a cerca de arame farpado, arrebentada em alguns pontos, e começa a alugar para pouso de boiada que desce de Mato Grosso a caminho do frigorífico de Araçatuba. Manda fazer um barracão.

Encanta-se com o pitoresco que os peões de boiadeiro trazem dentro de si, seus causos, sua lida, seu linguajar, quando chegam até o sítio para tratar do aluguel. Relembra sempre aquela boiada que encontrou quando vinha com Cantídio em busca de seu caminho, vivendo o seu amor.

Anos há, no entanto, que nem tudo corre bem e tem que restringir seus gastos, contar seus níqueis. Tem sempre mais empregados do que necessita, pois, de alma boa, está sempre pronta a acolher um passante perdido, um sujeito em recuperação de saúde que sai da Santa Casa e não tem para onde ir. Também recebe, por pequenos períodos, parentes de seus próprios trabalhadores que chegam do nordeste à procura de emprego.

Aos domingos, é certa a visita de amigos da cidade: doutor Guedes, com a família; dona Ernestina e seu Luciano Mazaro; Miguel Recco, com a esposa, Elza, e outros.

Vicência, que agora está estudando em Araçatuba, aparece só nas férias, com alguma amiga, trazendo sempre a alegria de gente moça para a casa. Quando já está para se formar professora, vem com um namorado, bancário como o outro genro. É Rúbio, que está disposto a se transferir de Araçatuba para a agência de Andradina do Banco do Estado. Os jovens argumentam que, para começar a vida, é melhor ali, onde as coisas são mais fáceis, mais baratas, e que Vicência tem mais oportunidade para entrar para o magistério.

Cora gosta do rapaz e já se prepara para ver sua caçula tomando suas próprias rédeas, seu próprio destino.

Rúbio é descendente de sírio pelo lado do pai e de espanhol, pelo lado da mãe, o que muito agrada Cora, que acredita na mistura de raças para uma descendência melhor.

O casamento é realizado e parentes e amigos são recebidos no sítio para um almoço.

Nesta ocasião, recebe uma boa proposta para vender o sítio de Alfredo de Castilho. Fecha o negócio e aplica o dinheiro na compra da casa da cidade onde mora desde que chegou de Penápolis.

Traz seu Vicente Tomé para o Barro Preto, onde ele continua seu mister de capataz.

Agora, passa a maior parte do tempo no sítio com Elza e deixa a casa da cidade fechada. Depois da reforma do sítio, a irmã e o cunhado voltam a Jabuticabal, deixando o filho, que continua no banco e mora na casa da tia.

Como não podia deixar de ser, Cora começa seu roseiral no sítio. Resolve também cercar um magueirão grande e passa a criar porcos, garantindo-se das surpresas da lavoura, nem sempre favoráveis.

Tem fregueses certos para os suínos e, de vez em quando, mata um capado gordo, derrete a banha, faz linguiças, separa o que precisa e vende o restante para os amigos.

Um costume que tem, e que é respeitado mesmo quando os filhos estão presentes ou os amigos, é servir a todos a refeição numa mesa só, com talheres, pratos, copos iguais – gente da casa e empregados –, num momento de confraternização. Há um respeito mútuo. Todos adoram Cora e estão prontos para fazer tudo como ela gosta. Patrão e empregados – uma família, uma utopia? Só para quem não conhece Cora.

Andradina continua crescendo. O grande visionário Moura Andrade não esmorece. Percebendo que a região, de terra arenosa na maior parte, após alguns anos de cultivo de arroz, milho, feijão, algodão, só com muito gasto de adubo químico, com técnica encarecedora para os agricultores, continuará na agricultura, passou a orientar o plantio de capim-colonião e incentivar a criação de gado. Tanto que instala, próximo à cidade, um grande frigorífico – Mouran – que vai concorrer com o T. Maia, de Araçatuba. Andradina, por ficar na rota do gado que vem do Mato Grosso, passa a ter mais prestígio e o frigorífico, sucesso.

Auro Moura Andrade, sempre que aparece na cidade, encontra-se com Cora. A cada eleição, tem seus votos certos ali. Tanto que, depois de deputado estadual, é eleito deputado federal.

Há uma eleição para prefeito e vereadores marcada e, para completar a chapa de vereadores pela UDN, Cora é requisitada. Nunca pensou em se candidatar a coisa alguma, mas deixa seu nome ser apresentado e a coisa correr. Nada faz para conseguir votos, tanto que não é eleita. Muita gente comenta:

– Pensei que ela iria ganhar fácil e não votei, achando que não faria diferença.

– Foi melhor não ter ganho. Mal tenho tempo para cuidar dos sítios – conversa Cora com os Trujilo, comerciantes amigos.

– Mas nós íamos precisar da senhora na Câmara – diz outro conhecido que conseguiu ser eleito.

– Ajudo mais aqui de fora, pode estar certo.

– Disso tenho certeza, e estamos contando com a senhora.

– Getúlio Vargas, quando assinou o decreto de 1932 dando direito de voto às mulheres, já contava que elas não fechariam posição a favor de outra mulher. Ainda vão acompanhar o voto do marido por mais algum tempo – brinca Cora, que, absolutamente, não se preocupa com o resultado da eleição.

– É que ainda não se deram conta da força que elas têm – completa.

Na cidade, é considerada uma mulher rica e sempre tem alguém tocando no assunto.

– Sitiante rico? Aponte algum. Vivemos brigando com o tempo: se precisamos de chuva, vem um sol de matar, se é época de colheita e queremos sol, lá vem chuvarada. E os preços? A colheita foi boa? Preço abaixa. Deu pouco? Sobe doidamente. O governo precisaria implantar uma política agrícola garantindo o preço da nossa safra, comprando e fazendo estoque regulador para os "tempos das vacas magras". Às vezes, tudo dá certo para que não desanimemos de vez. Ser agricultor é quase ser masoquista, a gente o é de teimosia mesmo!

Quando tem uma safra boa, como agora, com o arroz, costuma separar uma saca, já beneficiada, e leva para a Santa Casa, para ajudar as freiras que, ali, fazem milagres para alimentar, cuidar e tratar da ala pobre. Numa de suas idas, visitando doentes, fica sabendo de uma senhora, ainda jovem, que está em fase de recuperação e não tem para onde ir. Ela não sabe onde encontrar as pessoas que a trouxeram, pessoas essas para quem trabalhava em alguma fazenda que nem sabe o nome ou onde fica.

Cora, compadecida, prontifica-se a levá-la consigo. No sítio sempre há algum serviço que possa fazer e um lugar para dormir. Júlia é seu nome. Calada, um tanto lerda – tem uma verminose que não cede –, mas é de boa índole. Agrega-se.

A Guerra Mundial está no fim. Cora horroriza-se com as notícias sobre as bombas atômicas em Nagasaki e Hiroshima, no Japão.

– Será preciso tanta destruição, tanta dor para se acabar com uma guerra?

Acompanha todo o noticiário do *Dia Seguinte*, atenta.

– É o marco de duas etapas distintas, minha filha, comenta com Vicência. É o antes e o depois da bomba atômica. O mundo não será o mesmo com este artefato avassalador. É a nova espada de Demóstenes sobre a cabeça do mundo.

Realmente, precisou a bomba para terminar a guerra. A Alemanha já vencida, agora a rendição incondicional do Japão.

Em todo caso, renovam-se as esperanças de dias melhores, inclusive no Brasil, apesar da situação de Getúlio estar periclitante. Tanto que, logo depois, ele é deposto. Foram quinze anos de ditadura e o povo respira aliviado. O mundo se recupera exigindo mais alimentos, mais bens duráveis, mais indústrias. Para os lavradores, começa uma época boa, com preços compensadores para suas safras. Cora tem conseguido equilibrar seu orçamento aos seus gastos, sem precisar recorrer a empréstimos bancários.

Continua a comparecer a encontros políticos, desde que acredite em algum candidato. Contribui com artigos para o jornal, pois se tornou conhecida de Isael Soares Fernandes, o dono d'*O Jornal da Região*. Conhece todo mundo, do pequeno trabalhador ao grande empresário Moura Andrade. Seu potencial de trabalho, sua crença na bondade humana e fé em dias melhores, fazem-na respeitada, bem acolhida por todos. Engaja-se em movimentos da comunidade.

Como pessoa politicamente ativa, quando do movimento Queremista, que trabalha para a volta de Getúlio, agora como candidato em eleição para um novo quinquênio democrata. Cora fica conhecendo um deputado federal paulista que tem aficcionados na região. Ele é a favor da candidatura de Getúlio e quer convencer Cora à causa, da qual ela discorda.

– Chegam os quinze anos em que ele esteve nos governando. Precisa haver uma renovação de valores.

– Dona Cora, os tempos são outros e o homem está consciente desta mudança, ele ainda é um estadista de peso. Conhece como ninguém nossos problemas e vem com ideias novas.

– É muito difícil acreditar que apenas cinco anos o tenham feito mudar, a não ser para pior, considerando-se suas ideias, que estão mais para estacionar ou, talvez, regredir – argumenta Cora.

– Gostaria de ter uma conversa mais calma com a senhora. Conheço bem o homem e tenho certeza de que posso contar coisas interessantes que a farão mudar de ideia.

– Por que não aparece no meu sítio? Fica perto da cidade e qualquer pessoa pode ensinar-lhe o caminho, pois hoje já estou de volta a ele.

– Está bem. Vou amanhã cedo, se a senhora permitir.

– Fico esperando. Até amanhã.

À tarde, volta Cora para o sítio no último ônibus que passa à sua porteira.

Calculando que a prosa vai ser longa, dá andamento ao almoço, com a ajuda de Elza e Júlia, ordena a separação de um lote de porcos que vendeu a outro sitiante e fica aguardando a visita.

Enquanto espera, pega a tesoura de podar e vai cuidar do roseiral, limpando das flores já ressecadas, endireitando galhos, verificando se alguma praga começa nas folhas.

Ouve uma buzina na porteira. Grita para o jovem Jorge, que trabalha ali perto, para ir abrir, e logo o deputado desembarca do carro que veio dirigindo.

– Foi difícil encontrar o sítio?

– Que nada! A orientação que me deram na saída da cidade foi perfeita, e aqui estou.

Como o deputado mostra interesse em conhecer o sítio, saem a caminhar. O algodão, plantado outra vez na parte onde ela continua a manter as curvas de nível, está começando a florada, que promete, "se o tempo ajudar", uma produção boa. No chiqueiro acimentado, limpo, reservado à maternidade, uma porca gorda, enorme, amamenta dez leitõezinhos recém-nascidos. Um pouco de arroz cresce na parte mais úmida, na baixada. Está tudo muito verde e vê-se alguns trabalhadores carpindo por entre o arrozal, outros arrancam mandioca que vão dar aos porcos. A todos Cora dirige uma palavra e apresenta o visitante.

Sendo o sítio pequeno, logo percorrem tudo e tornam a casa, onde uma jarra de limonada os espera. Um cafezinho é servido logo em seguida.

Acomodam-se nas redes da varanda.

O visitante é de conversa fácil, como de praxe entre os políticos, e se estende contando as virtudes do Gegê. Discorre sobre a vida que leva na estância Itu, nos pampas gaúchos, onde, por quase cinco anos, acompanha todo o processo político após sua queda, onde visitantes, os mais variados, chegam em romaria atrás de sua orientação, de seu apoio e, agora, exigindo sua volta ao cenário político do país.

Cora ouve atenta, fazendo pequenas observações.

– Tenho muitas dúvidas. O homem está comprometido demais com alguns segmentos. Reconheço que o Queremismo cresce a cada dia e, se ele realmente aceitar a candidatura, por certo será eleito – deduz Cora, logicamente.

Os argumentos do político são fortes e a prosa prossegue até que Elza vem avisar que o almoço está posto, os trabalhadores já estão à mesa aguardando os dois.

A comida simples, porém substanciosa e benfeita, é elogiada. Se teve algum espanto com a presença dos lavradores à mesa, o político nada comenta e se põe à vontade, deixando os outros também desembaraçados. Conta alguns casos pitorescos referentes à vida política que todos entendem e riem bastante. Um café forte encerra a refeição. Todos se dispersam e o papo continua entre Cora e o visitante que não se mostra preocupado com a hora.

Quando finalmente se despede, está encantado e convencido de que, pelo menos, Cora pensará na possibilidade de apoiar o getulismo. Permanecendo mais uns dias em Andradina onde, sabe, a UDN é fortíssima, tem ocasião de tornar a encontrar Cora. Um mês depois, volta à cidade e vai procurá-la no sítio, onde, segundo informações, ela está.

A desculpa é a política, mas logo fica claro à anfitriã que o interesse tem algo de pessoal.

– Para começar, nada de formalidades no tratamento. Trate-me por José e eu a tratarei de Cora.

O assunto é uma geral passagem por tudo: política, vida pessoal, interesses comuns. Novamente fica para o almoço e, ao se despedir, diz de seu interesse em vê-la novamente.

– Por estes dias, estarei aqui mesmo. Vou receber alguns porcos que comprei em Três Lagoas e quero estar presente quando chegarem. Mas apareça quando quiser.

Não se faz de rogado o deputado. No fim da tarde do dia seguinte, vindo de Tupi, onde passou o dia, para no sítio.

– Não sei estar com rodeios, Cora. Você já sabe bastante sobre minha vida. Desde que fiquei viúvo, com o trabalho político a preencher meu tempo, não tive oportunidade de reconstruir minha vida pessoal. Você é a pessoa certa para me ajudar nessa caminhada e noto que não lhe sou indiferente. Não preciso de resposta agora. Pense nisso apenas.

– Meus tempos de arroubos já passaram de há muito. Estou lisonjeada com seu sentimento, mas a possibilidade de novo casamento realmente não passa por minha cabeça jamais.

– Não diga jamais, pois tudo é possível – retruca José.

– Apenas estou constatando um fato. Não estamos na idade de mantermos ou estimularmos ilusões.

– Não sou homem de desistir fácil. Sou duro de queda. Voltaremos a nos ver e tornaremos ao assunto.

– Você é quem sabe...

Não passa despercebida para Elza a atenção do deputado. Portanto, está preparada para ouvir quando Cora se abre.

– Você acredita, Elza, que o nosso visitante praticamente me pediu em casamento?

– Ora, dona Cora, me admira é a senhora estar até hoje sozinha. Quantos anos faz que está viúva?

– Já perdi a conta, mas por esta eu não esperava. Não deixa de ser bom saber que ainda agora alguém se mostra interessado em mim. Veja só!

– No íntimo, está feliz. Tanta trabalheira tem enfrentado! Acabou de criar os filhos sozinha – foi duro, mas conseguiu –; lidar com loja, com terras, com trabalhadores, com lavoura. Não foi e nem é fácil, ainda mais pelo fato de ser mulher.

– Ainda estamos todos atados ao paternalismo – comenta, sempre que tem oportunidade. – O mundo continua sendo dos homens, que ditam as leis, que comandam.

É gostoso saber que, apesar de sua simplicidade no trajar, na dureza de seu cotidiano no sítio, às voltas com porcos e lavoura, um deputado federal de prestígio, que vive no Rio de Janeiro, interessou-se realmente por ela e a quer como esposa.

– "Deixa estar para ver como fica", pensa com seus botões.

Precisando ir à cidade colocar cartas no correio e tratar de algumas compras, tem a satisfação de encontrar na sua correspondência uma carta vinda do Rio. Não tem dúvidas: é do deputado, que reitera seu pedido e avisa da próxima chegada, apenas para vê-la.

Mesmo sabendo bem o que deseja, agita-se. Dar uma resposta definitiva não vai ser fácil. Até seus sentidos mais íntimos abalam-se na presença do pretendente, reconhece. Vivendo por tanto tempo só para os filhos e para o trabalho, considerava-se já assexuada. Mas que nada! Todo o seu ser vibra em expectativa, embora esteja decidida a continuar só.

A colheita do arroz está em pleno andamento. Não plantou muito este ano, mas deve dar uma quantidade suficiente para seus gastos. Na roça, seu Vicente comanda seus companheiros no corte. Vão juntando em pilhas que outros vão batendo, em cima de um grande encerado, tamanho para caminhão. O tempo está ajudando. Os feixes de grãos maduros enchem o ar de perfume que Cora, prazerosamente, aspira fundo, integrada por todos os seus sentidos àquele momento de comunhão com a Mãe Natureza.

Só quando Jorge chega, trazendo o almoço, param os trabalhadores, deixam as foices, pegam o ancorote d'água e vão para baixo de um abacateiro.

Cora e seu Vicente ainda relanceiam os olhos para o céu, verificando se alguma chuva é provável acontecer. O céu está limpo, sem preocupação para que o término da colheita se faça ainda com sol.

– O tempo tá ajudando, dona Cora. Pode ir pra seu almoço que nóis tá qui, morde os passo-preto. Só o espantalho num espanta eles.

Quando colhem os grãos, como agora, a presença dos pássaros é um problema a mais a preocupar. Se descuidam, lá vêm eles em grande revoada e haja arroz!

Só quando todo o arroz está colhido e protegido no encerado é que retornam os lavradores, como em procissão, cansados, foices ao ombro, suados, mas satisfeitos pelo trabalho executado a tempo.

Após o jantar, Cora e Elza deixam Júlia lavando a louça e vão para a varanda, onde uma brisa gostosa corre, conversando amenidades, depois do dia laborioso. Ouvem uma buzina de carro na porteira. Cora vê o deputado José adentrando o sítio. Está esperando sua chegada desde que recebeu a carta.

Estacionando perto do alpendre, já avista Cora vindo ao seu encontro, com um sorriso tranquilo no rosto, o que lhe dá a certeza de boas notícias.

Convidado a entrar para a sala, sugere que fiquem ali e senta-se numa das redes. Elza, discretamente, deixa os dois a sós e vai preparar um refresco.

– Recebeu minha carta?

– Sim, já há uns dias. Não respondi, pois me pareceu que logo estaria aqui e fiquei aguardando.

– Você analisou bem minha proposta? Quanto a mim, não tenho dúvidas: quero me casar com você.

– Ponderei bem a situação, José. Portanto, minha decisão é resultante de grande equilíbrio emocional. Espero que você compreenda, mas não vou aceitar seu pedido.

– Cora...

– Aprecio muitíssimo sua presença, sua conversa. Nossa convivência, mesmo sendo pouca, me mostra a integridade de seu caráter, sua afeição por mim. Mas estou resolvida a continuar minha vida como vem sendo até agora. Não quero magoá-lo. Você é o homem ideal para companheiro. Mas eu deixo o caminho aberto para outra felizarda que, tenho certeza, você encontrará, com mais qualidades que eu.

– É um grande golpe para mim. Não imaginei...

– Não piore o fato. Não é nada que você não possa superar. Minha amizade continua a mesma e, enquanto quiser, seremos confidentes, amigos. Minha porta estará sempre aberta para você.

– Eu não preciso de uma amiga, preciso de uma esposa.

– Acredito que precise das duas coisas e você encontrará ambas.

– Desculpe, mas você foi a primeira mulher que me tocou, mexeu com todo o meu ser, depois de minha viuvez. Não posso fazer nada para que mude de ideia?

– É definitivo, por mais que me doa dizer isso. Mas, por favor, continuemos amigos, José. Eu preciso de você como meu amigo.

– Vou precisar de tempo para me refazer do choque, ah, isto vou!

Cora, inteligentemente, desvia o assunto para outros tópicos, contando da colheita começada e terminada hoje, levando-o a interessar-se pelo resultado obtido, falando dos preços atuais, da política econômica, que interessa aos dois.

Um José desconsolado, porém calmo com a conversa variada, despede-se e, pela primeira vez, beija-a na face. Cora treme nas suas bases, mas aguenta firme, convicta de que agiu sensatamente.

A noite chega com uma lua crescente no céu imaculadamente limpo de nuvens, pontilhado de estrelas, trazendo paz e certeza de que dormirá tranquila, consciente de que, mais uma vez, tomou o caminho certo.

Goiás, A Volta e o Adeus

Um choque repercute por toda a nação quando os desentendimentos no governo Getúlio Vargas e o crescimento do poder paralelo exercido por seu filho, apoiado em seus homens de confiança e de segurança, contrabalançam-se aos protestos de camadas políticas da oposição, tendo o jornalista Carlos Lacerda Werneke à frente, com seu jornal diariamente expondo as mazelas reinantes.

Culmina a situação com o assassinato do major Vaz, da Aeronáutica, por um tiro que deveria ter atingido Carlos Lacerda, que estava ao seu lado, na rua Toneleros, no Rio de Janeiro.

Um mar de lama envolve o palácio do Catete atingindo todos os seus habitantes, dos salões aos porões onde reina Gregório Fortunato, indiciado como mandante do crime, o guarda-costas mais graduado do presidente. Quando a conjuntura fica insustentável, com ministros importantes e o povo exigindo a renúncia do presidente, o país ouve, estupefato, a notícia de seu suicídio.

O vice, Café Filho, é empossado, passa para Carlos Luz, presidente da Câmara, que passa para Nereu Ramos, presidente do Senado, até que cheguem as eleições, embora a posse do novo presidente esteja cercada de incertezas, com conspirações rondando soltas.

O momento político repercute na economia, como não poderia deixar de ser.

Cora acompanha preocupada o noticiário: os preços dos produtos agrícolas e da pecuária estão instáveis, em queda. Os agricultores temem pelo que possa acontecer, já não bastasse a instabilidade meteorológica. Escreve para seu amigo, o deputado José, mas não obtém resposta.

A era de Juscelino Kubitschek começa, e já se passam vinte anos da morte de Senhora Jacintha. Cora tem que ir, de qualquer jeito, para Goiás, caso contrário perderá a casa onde nasceu – que, na verdade, são duas, geminadas – que pertence a ela, Peixotinha e aos filhos de Ada e Sinhá. Se não for tomar posse, a Lei do Usucapião será aplicada e seu cunhado, que ali mora, terá direito a ela.

Vai precisar de dinheiro para a viagem, ainda mais sabendo que não tem data para a volta, dependendo do que encontrar em Goiás. Portanto, põe à venda o sítio, que é comprado por um japonês que aceita pagar o que pede.

Arranja emprego para todos que trabalham no sítio, inclusive para Joana, em propriedades vizinhas.

Deixa seu compadre Déo e seu Vicente tomando conta do outro sítio que aluga para as boiadas – estas terras fazem limite com as do compadre – e, então, preparam-se, ela e Elza, para a viagem de volta à cidade que a viu nascer.

A emoção do retorno é quase insuportável!

Sente, agora, que essa volta já foi iniciada há muitos anos, embora não se tenha dado conta, numa viagem inconsciente, pois jamais se desprendeu totalmente de suas raízes. Nada ali a surpreende, apesar de muita coisa ter mudado. Encontra, pouco a pouco, pessoas de sua geração que ali permanecem como guardiãs do patrimônio histórico e cultural da cidade.

As sobrinhas, filhas da mana Ada, que não conhecia, moram ali e outras em Goiânia e uma amizade muito forte se estabelece entre elas: Pequetita, Sinhá, Luizinha, Fia, Maria José, Goiaci, Goiani e José – o único varão. Todos já estão casados e têm filhos.

Se Goiânia levou seus jovens, a proposta de Juscelino de erguer no planalto goiano a capital do país, projeto que remota aos idos de 1889 e que nenhum presidente levou a sério, acena progresso, mudanças, novos ares. Sua cidade também está sendo sacudida, mas de maneira a não abalar seus alicerces, sem desagregar-se.

Avaliando a situação racionalmente, procurando inteirar-se da questão que a levou ali – sua herança –, verifica que não será em pouco tempo que terá resolvido a pendência e vê que sua estadia na cidade é imprescindível. Dessa forma, o melhor é tornar ao Estado de São Paulo, desfazer-se de seus bens restantes em Andradina, e vir de vez. Um mês depois, está de volta com Elza.

Escreve ao filho e conta de sua intenção de pôr casa e sítio à venda. Recebe, dias depois, a visita do próprio Brêtas que vem com a proposta de comprar tudo, aplicando ali suas reservas, desde que Elza continue em Andradina administrando. Aceita a oferta e se prepara para partir em definitivo.

Já foi dado início à construção de Brasília, e Cora, de Goiás, acompanha com grande interesse toda a transformação que sacode o Estado, tornando-se fã incondicional do espírito pioneiro e aventureiro que norteia o novo presidente.

Começa a se preparar para a compra das partes de Peixotinha, que logo concorda, e dos sobrinhos que têm um quinhão da casa. Aos poucos, vai conseguindo fazer acordos, tanto que, ao ver seu dinheiro diminuindo, começa a fazer doces – passa de caju – que a cidade tem tanto pelos campos, nativos, e que ninguém liga, pois são mais ácidos que os cultivados nos quintais. Tem freguesia certa que são os turistas que vêm a Goiás atraídos por sua arquitetura e traçado coloniais, embora pobres, e pelos novos comerciantes que se instalam em Brasília e que buscam as antiguidades, móveis, louças, moedas, agora tão valorizadas.

Depois de uma temporada preparando só as passas de caju, dedica-se aos doces glacerados de laranja-da-terra, figo e mamão verde, vendendo tudo o que consegue fazer. Sua fama de doceira ultrapassa os limites da cidade, do Estado. Ir a Goiás conhecer Cora e comprar seus doces passa a complementar o roteiro turístico local.

Lendo o jornal que recebe pela manhã, inteira-se do lançamento, pela União Soviética, do primeiro satélite de pesquisa, o Sputnik, que significa pequeno companheiro, em russo: é uma esfera de alumínio com 58 centímetros de diâmetro e 83 quilos de peso, iniciando a era espacial, o caminho para a conquista do espaço. Cora anota no seu caderno: 4 de outubro de 1957. Ela é toda entusiasmo.

– Duas coisas virão daí: guerras invencíveis para os fracos economicamente que não conseguirem avanços nas pesquisas e, queira Deus, um conhecimento incrível para o homem, que resultará em melhoria em todas as áreas, prolongando e melhorando a vida na terra.

Sua produção literária aumenta a cada dia. Canta sua cidade em prosa e verso.

Quando visitantes interessados, que dão valor à literatura, chegam à sua casa, não se faz de rogada e lê suas poesias que a todos encanta. Muitas e muitas vezes, ouve a sugestão para que as edite. Tem vontade, mas empurra a ideia para a frente. Está muito longe do eixo Rio-São Paulo, onde as coisas acontecem, no reino das artes.

Entre as pessoas que diariamente recebe, um deles, o doutor Tarquínio de Oliveira, advogado que também escreve coisas boas, de valor literário, encanta-se de tal forma que propõe levar seus originais para São Paulo, onde mora e trabalha, e arranjar uma editora que os publique.

– Agradeço sua boa vontade, mas ainda preciso pôr ordem na papelada. Tenho dificuldade para arranjar uma máquina de escrever e uma pessoa que possa bater. Estou até pensando se não é melhor entrar para uma escola de datilografia.

– Pois vou colaborar com a senhora – é uma pena que não estejam em um livro seus versos –; mando uma máquina, mas quero sua promessa de ordenar suas coisas e levar para São Paulo, onde irá me procurar para, juntos, encontrarmos uma editora.

– Está bem. Estou prometendo e fico agradecida por antecipação.

Quando o doutor Tarquínio sai, Cora nem pensa mais naquele comprometimento, pois sabe que é muito difícil para alguém, quando está distante, cumprir promessas. Mas desta vez realmente se surpreendeu ao receber, umas semanas depois, por um mensageiro, a tal Remington vinda da parte do advogado.

– Agora tenho que aprender datilografia mesmo – comenta com o portador.

Matricula-se numa escola e começa a frequentar assiduamente as aulas. Interessante é que a turma é de jovens, como sempre acontece, mas Cora não se constrange, e os jovens, depois do susto inicial, vendo aquela anciã – setenta anos – batucando seus dedos não tão ágeis, são incentivados a levar a sério o aprendizado. Ela adora a presença da juventude e, em pouco tempo, está inteiramente integrada.

Comenta com amigos:

– Eles não sabem que eu tenho uma máquina em casa, onde pratico diariamente, e ficam admirados com o meu progresso!

– Isso não é honesto de sua parte, dona Cora – observa uma amiga.

– Honesto ou não, estou me deliciando com tanto elogio e não vou abrir mão desta brincadeirinha!

Aos poucos, vai datilografando seus poemas. A cada nova leitura, encontra uma palavra para substituir, uma frase que lhe parece mais adequada.

Leitora assídua dos dicionários, tem sempre um par deles à mão e, quando surge oportunidade, orienta seus jovens visitantes a adquirirem o hábito de consultá-los.

Brasília termina, aliás, o principal somente. As festividades de inauguração são as principais notícias dos meios de comunicação. O povo vibra! Cora tem muita vontade de comparecer ao evento, mas, envolvida com seus doces e seus escritos, posterga a visita à nova capital.

Outra emoção a envolve.

– "Fui ao céu e não vi Deus" – declara Iuri Gagarin, russo, após seu retorno do espaço.

– Céus! Quanta pobreza! Deus está nele e ele não enxerga nada!

O acontecimento é celebrado no mundo inteiro: o primeiro homem a sair da órbita terrestre e voltar são e salvo! A vitória da técnica, da potencialidade humana para vencer desafios!

É o assunto preferido da escriba com seus vizinhos e amigos. Escreve páginas a respeito.

Está em pleno processo de organizar seus poemas e quando, enfim, tem um bom lote deles passados à máquina, escreve para o doutor Tarquínio e viaja para São Paulo, onde a filha Jacintha está morando e com quem se hospeda.

Vai visitar parentes de sua nora Nize, mulher de Brêtas, que também estão morando na cidade, vindos de Campo Grande. Por coincidência, a amiga Terlita tem muita amizade com Guida, esposa do doutor Tarquínio, a quem fica conhecendo. Saem os três juntos ao doutor, no dia seguinte, com os originais, em busca de um editor. Recebem a promessa vaga de certa editora, deixando uma das cópias que trouxe, de um chamado, tão logo possível.

Ao jantar em casa do doutor Tarquínio, Cora relembra o tempo em que vendeu livros para a editora José Olímpio e fala da amizade que se estabeleceu entre eles, na época.

– Com tanta mudança em minha vida, perdi o contato, mas a lembrança perdura – diz Cora.

– Pois é lá que vamos amanhã. Faço questão de acompanhá-la.

A escada alta, a antessala da direção, tão conhecidas de Cora!

Anunciada, imediatamente é recebida por Antônio Olavo que dirige em São Paulo, enquanto José Olímpio está à testa da companhia no Rio de Janeiro.

– Que alegria, dona Cora! Como vai a senhora? Que ventos a trazem?

– Você conhece o doutor Tarquínio, pois não?

– Claro! Como está? Sentem-se, por favor.

A conversa se desenrola com as novidades de parte a parte. Tantos anos são decorridos!

– No momento, que faz a senhora?

– Criei ânimo, incentivada por meu amigo, e aqui estou com minha poesia para compor um livro.

– "Antes tarde do que nunca", já se dizia desde tempos imemoriais! Que satisfação saber que finalmente a senhora se decidiu a publicá-los! Os que li me impressionaram muitíssimo, a senhora sabe.

Antônio Olavo é também um escritor de contos, tendo alguns livros publicados, e reconhece de pronto quando se depara com um trabalho de valor.

– Quero ver, quero ler tudo. Onde estão?

– Aqui. Vou deixá-los consigo. Quero que analise bem o valor da obra, a oportunidade e o interesse de sua casa em editá-la. Estarei por uma temporada em casa de minhas filhas e gostaria de ter sua resposta antes de voltar a Goiás.

– Por mim, já estão publicadas. Mas, via das dúvidas, tenho uma pessoa que me ajuda na seleção das obras e que também é um ótimo crítico literário. Vou passar para ele essa incumbência e, tão logo possa, dou um telefonema para a senhora.

– Aqui estão telefone e endereço de minha filha. Tenho um pouco de pressa. Como sabe, não posso abandonar por muito tempo minha casa.

– Pode estar sossegada. Agora, vamos marcar uma noite para a senhora ir em casa, pois minha mãe e minhas irmãs vão querer vê-la, quando eu contar que está aqui.

– Estou disponível. É só telefonar.

Despedem-se, com a perspectiva de novo encontro para breve.

Cora está animada, certa de que ali será publicada, reação diferente da que teve quando saiu da editora anteriormente visitada, que se mostrou reticente, um tanto fria.

Os dias subsequentes são rotineiros. Vai a Santos ver a filha Pagassu, o genro-sobrinho, os netos, impregnando--se do ar marinho, das belezas das praias, do carinho da família. Depois, vai a Jabuticabal, onde o cunhado Augusto vive só, pois a irmã faleceu recentemente.

Rever os amigos em Jabuticabal traz grandes alegrias. Um momento de tristeza é quando vai ao cemitério levando flores para os túmulos de seus filhinhos ali enterrados e para o de Peixotinha. As casas que foram suas, uma delas tendo acompanhado quase tijolo a tijolo a construção, lembram a época passada em que chegou cheia de amor, com seu escolhido, em que formou sua família e iniciou sua aprendizagem, às vezes difícil, da vida.

Enche seus olhos com a beleza serena das flores, das ruas, das praças, das casas dessa cidade que tanta coisa lhe deu e que é tão querida!

São Paulo a espera com boas notícias da editora José Olímpio, que está pronta a não deixar seus *Poemas dos Becos de Goiás* no limbo dos inéditos, destinados apenas às gavetas de sua casa. Acertam os pormenores. Escreve um agradecimento ao doutor Tarquínio que muito a incentivou e ajudou e que irá para a primeira página do livro. Assina o contrato. Não há uma data certa para que fique pronto, pois uma revisão e decisão sobre a capa serão necessários; Cora pede mais esse favor ao amigo Tarquínio.

Pensa em ir a Andradina, mas uma carta chegada de Goiás, mandada por Antolinda, fiel amiga que se encarregou de zelar pela casa, traz a notícia de que uma das paredes de adobe, dentro da casa, ruiu e é preciso sua presença para tomar providências. Regressa sem mais demora.

Verificando, com o pedreiro, a situação da parede tombada, decide por derrubar o que restou, tornando, assim, o quarto maior. Manda pôr ali sua mesa de trabalho, onde costuma arrumar seus doces em caixas contendo camada de doce de laranja, outra de figo e outra de mamão, tendo capricho de passar um papel bonito em cada uma, preso por barbante. Uma escrivaninha é colocada perto da janela e sua cama na parte mais alta, pois há diferença de altura entre os quartos, antes separados pela parede.

Cresce a fama de doceira e, assim, vai vendendo e juntando seu dinheiro, preparando-se para a compra das partes da casa, de seus sobrinhos, ou para um futuro leilão, se até lá não houver concordância com todos os herdeiros.

Está com um grupo grande de senhoras que fazem excursão na cidade, comentando a renúncia do presidente Jânio Quadros, após tantos choques com o Congresso, a posse do seu vice João Goulart cercada de restrições, quando chega seu vizinho com a notícia de que os militares, diante dos descalabros do governo, da corrupção e subversão que se instalaram no país, deram o golpe, antes que a situação piorasse. Humberto Castelo Branco é o novo presidente.

Goiás é um oásis de tranquilidade, apesar da proximidade do Distrito Federal. A não ser as greves contínuas dos bancários, que têm afetado a todos, pouca coisa repercute ali. Só os jornais trazem notícias dos movimentos em São Paulo, Rio de Janeiro e Rio Grande do Sul. Pouca gente tem televisão e a rádio que mais se ouve é a local.

– Mais uma crise! Já passei por tantas! Desde pequena ouço: "É um descalabro este governo, já chegamos ao fundo do poço." Venceremos mais esta, tenho certeza – comenta Cora com os visitantes.

Uma vez por ano, no mês de julho, quando se comemora, no dia 26, dia da padroeira da cidade, Sant'Ana, o governo do Estado se muda de Goiânia para Goiás, reabilitando os brios dos goianos que se viram desprestigiados, abandonados mesmo, com a mudança da capital. Neste ano, particularmente, a cidade está com um movimento intenso, maior que o do ano anterior. A casa de Cora, como sempre acontece, é ponto de convergência dos políticos, dos literatos.

Um funcionário do correio chega com um telegrama. Abre-o com preocupação, mas um sorriso largo logo põe a todos tranquilos. Ela não pode deixar de levar a seus amigos sua alegria com o conteúdo do mesmo, e lê em voz alta: "Seu livro acaba de sair. Seguem exemplares." Está assinado por Antônio Olavo Pereira. Congratulam-se todos, pois significa não só a vitória pessoal de Cora, mas a de mais um goiano ilustre que passa a brilhar no universo fechado do eixo Rio-São Paulo.

Daí para a frente, tem sempre em sua casa exemplares do livro, que vende às pessoas que a procuram atrás de prosa ou dos doces. Seus autógrafos são verdadeiras mensagens a cada um que solicita. Sua casa é parada obrigatória há muito tempo, aumentando ainda mais depois da inauguração de Brasília. Ela continua a ser fervorosa admiradora de Juscelino e, mesmo depois que seu período governamental terminou, sua obra continua, trazendo para o planalto central desenvolvimento, valorização, esperança de dias melhores.

– Goiás precisava de Juscelino mais do que qualquer outro Estado do país. Se os meios que promovem a mudança da capital para Centro-Oeste nem sempre foram "límpidos", como querem alguns, só um homem com a estatura e firmeza dele seria capaz de realizar o empreendimento. Imagine que desde 15 de novembro de 1889 já havia um decreto de mudança da capital!

Com a edição dos *Poemas dos Becos de Goiás e Estórias Mais*, anima-se Cora a continuar a organização de seus escritos, pensando em novas publicações. Um artigo escrito por Oswaldino Marques, crítico dos mais conceituados, publicado em vários jornais, leva a Universidade Federal de Goiás a se interessar numa segunda edição de seu livro, e ela pede que seja transcrito nas primeiras páginas esse trabalho crítico e, na orelha, palavras de J. B. Martins Ramos. Apesar de insistentes apelos da José Olímpio, dá preferência à Universidade de seu Estado.

Vem de Andradina a notícia de que o filho vendeu o sítio que lhe havia pertencido e ela escreve imediatamente a Elza para que encaminhe seu Vicente, seu fiel capataz, para Goiás. Ele não tem mais ninguém na vida, a não ser um irmão com quem perdeu contato. Ao chegar, ele se dedica a cuidar do imenso quintal, tornando-o um primor. Prepara também uma horta. Reina naquele pedaço de terra.

À história da casa pertence a história do tesouro enterrado. Depois que seu Vicente se instala, Cora também resolve dar sua pesquisada, em contos determinados que, a seu ver, teria escolhido para enterrar riquezas.

– Claro que foi inútil, meus filhos – conta a Vicência e Rúbio, quando vêm visitá-la. – Se Tebas Ruriz matou seu escravo para nunca abrir o bico e se suicidou em seguida, que garantia há que houve um enterro de ouro? Quem soube de alguma verdade? Só suposições quando não encontraram na casa a riqueza que diziam ter acumulado o suicida. Eu mesma, em Andradina, fui tida como muito rica, e adiantava negar? Só eu sei as dificuldades que passava!

– Pelo sim, pelo não, a senhora procurou.

Quando estão ali conversando, seu Luiz chega para convidar Cora e seus filhos para assistirem na televisão a chegada do homem à Lua. Aceitam.

Ao ver Neil Armstrong pisando, pela primeira vez, a Lua, sente-se mal, tamanha a emoção.

– Escreva no meu caderno a data, filha.

Vicência escreve: 20 de julho de 1969 – chegada do primeiro homem à Lua.

No dia seguinte, já refeita das emoções da véspera, conversa com a filha.

– Quando você esteve pela primeira vez aqui, só havia o Jair Dreher que vendia coisas típicas e artesanato local, instalado lá no mercado. Depois, transformaram a velha cadeia municipal em Museu das Bandeiras. Agora, a Igreja da Boa Morte tem um museu de arte sacra, com obras do grande santeiro goiano J. J. da Veiga Valle. Você deve ir conhecer. Existe também, no pátio da Igreja do Rosário, uma grande exposição do artesanato de barro. Não deixe de ir ver o trabalho em areia – quadros – feitos por Goiandira do Couto, que é nossa parenta.

– Amanhã vamos seguir o seu roteiro turístico, pode ficar sossegada. Mas para o fim da semana temos que voltar para casa.

Como tem que ir a Goiânia, marcar sua posse na Academia Feminina de Letras, para a qual foi eleita, Cora aproveita a companhia da filha e do genro. Ao chegar à casa de seu sobrinho Nion, pensa em ficar uns dias, mas, instada pela Editora Cultura que quer publicar um novo livro seu, acaba ficando uma boa temporada, escrevendo coisas novas e reescrevendo alguns contos que comporão o novo livro.

Sua casa, sempre aberta a visitas, não permite que se dedique inteiramente a escrever, pois jamais se nega a receber quem a procura, sendo incapaz de mandar dizer que não está. Portanto, aproveita a casa do sobrinho para trabalhar sossegada.

Ao voltar a Goiás, já tem uma ideia daquilo que será publicado. Não tem tempo para bater a máquina, mas uma jovem que trabalha na Prefeitura se dispõe a ajudá-la uma hora por dia.

Para o meado do ano, seu neto Paulo Sérgio vem ficar uns meses em sua casa e também passa a limpo parte de seus manuscritos.

Esse segundo livro segue o ritual da indecisão, de empurrar mais para a frente, que antecedeu o primeiro. Mas finalmente acaba acontecendo, dez anos após os

Poemas dos Becos de Goiás, pela editora goiana de Paulo Araújo: é o *Meu Livro de Cordel*. É Rúbio, o genro, quem, novamente em Goiás, acaba batendo a máquina o que falta e leva tudo para a editora.

Noite de autógrafos, homenagens. Novo sucesso, tornando-a conhecida, ultrapassando as fronteiras de seu Estado.

– A senhora tem tantos contos e só publicou seis nesse *Meu Livro de Cordel*. Por que não prepara um outro só de crônicas e contos? – Paulo Araújo sugere a ela, em conversa.

– É uma ideia. Vamos ver!

Passam por sua casa dezenas de pessoas todo mês e, principalmente, os estudantes, que chegam em bandos para entrevistá-la, como parte de seu aprendizado. Recebe a todos com carinho.

É exemplo vivo de ânimo, de luta, de otimismo, principalmente. Impressiona ver aquela figura envelhecida, frágil na aparência, transfigurar-se quando começa a falar. Muitos e muitos, ao ouvi-la declamando seus versos, dando seu testemunho de vida, com voz firme, cheia de emoção, choram.

– Por que o choro, minha filha?

– Emoção, dona Cora. Seus versos são fortes, tanto quanto a senhora, e só agora vejo o quanto sou boba, fraca, reclamando da vida como tenho feito. Recebi uma lição, sem a senhora saber!

Vicência, Rúbio e os netos estão morando em Anápolis e muitas vezes vão a Goiás. As crianças, na fase de ouvir histórias, são ouvintes atentas, e Cora inicia assim seu primeiro conto infantil – *Os meninos verdes* – que vai criando aos poucos, à medida que recebe a visita das crianças.

Chega a época das chuvas. O lajeado à volta da bica d'água, na boca do porão, cheio de lodo, está escorregadio. Mas é ali que Cora costuma lavar as frutas que prepara para os doces. Com uma baciada de laranjas-da-terra que acabara de descascar, desce o último degrau da cozinha, cuidadosamente, mas, mesmo assim, escorrega e se prostra estatelada no chão. Grita pela empregada, que corre a ajudar a levantar. Não consegue mexer uma perna, na qual sente uma dor dilacerante.

– Chame seu Luiz (o vizinho da frente) – pede.

Com a chegada de seu Luiz, de dona Altair, sua esposa, e mais seu Vicente, é carregada para a cama. O médico, chamado às pressas, constata fratura de fêmur e sugere a ida para Goiânia, onde há mais recursos. Uma ambulância é posta à sua disposição.

Os vizinhos, sabendo de seu amor pelas plantas, antes dela seguir, dão-lhe flores e ramos. Deixar na casa é bobagem e ela resolve que vai levar tudo para enfeitar o quarto do hospital.

O médico ortopedista, já avisado pelo telefone, aguarda-a. E qual não é seu espanto, ao abrir a porta da ambulância, ver dona Cora toda cercada de flores!

– Mas, se está morta, por que trouxeram para cá?

– Calma, doutor, ainda não morri. Só estou chegando enfeitada – humoriza Cora, de sua maca.

Riem todos da sua resposta que bem demonstra toda a fortaleza de seu espírito. Nem com dor perde sua verve!

Encaminhada à sala de exames, verifica-se a necessidade de operação, acabando por receber uma placa de platina e alguns pinos.

Não se abate Cora. Resiste às dificuldades de locomoção, esforçando-se para se movimentar sem incomodar os parentes, pois hospeda-se em casa da sobrinha Ondina, logo depois de ter alta do hospital. Ali permanece os meses necessários, até que uma nova operação é feita para a retirada da placa, depois de consolidado o osso.

– Agora, dona Cora, a senhora deve ficar mais tempo deitada ou numa cadeira de rodas, resguardando-se o mais possível, avisa o ortopedista que a operou.

– O senhor não conhece dona Cora! Vou estar andando tão logo o senhor atravesse aquela porta!

Na mesma hora, levanta-se e senta com as pernas para fora da cama, pronta para entrar em ação.

– Pelo amor de Deus! Pelo menos vai usar um par de muletas. Não vou deixá-la sair sem esse apoio.

Apesar de conhecê-la bem, não esperava por uma reação tão enfática.

– Traga lá as muletas. Vou tentar aprender a manobrá-las. Isso porque não aguento ver em sua fisionomia tanto susto.

Realmente, aprende a andar com as muletas e, ao sair do hospital, vai caminhando com suas próprias pernas.

– Nunca vi uma pessoa tão forte! – Comenta o médico com seus colegas.

Ondina é sua companheira em temporadas em Goiás e em todas as viagens que faz, nunca falhando quando solicitada, assim mais uma vez está com ela, numa de suas idas a São Paulo, já de muletas, visitando os filhos que, pela primeira vez, moram todos no mesmo Estado (houve ocasião em que Vicência estava morando no Ceará; Brêtas, na Bahia; e Jacintha e Pagassu, no Estado de São Paulo). Traz consigo duas ideias originais, criativas mesmo: a primeira para que as indústrias de papel fabriquem rolos de papel picotados, com uma distância de mais ou menos 30 centímetros entre cada picote, para uso em banheiros públicos e, principalmente, para as cozinhas.

– Imagine só: você poderá usá-los para pré-limpar os pratos, antes de levá-los à água, e servirá também parar tirar o excesso de gordura das frituras, que serão colocadas em cima do papel antes que passem para a travessa que levará à mesa – conversa ela com a filha Jacintha e o genro Flávio.

– E a outra ideia?

– Tecido que já venha com um forro, pré-encolhido, colado levemente, facilitando que se corte junto, ao mesmo tempo. Já pensou que maravilha para quem costura?

Flávio se entusiasma e promete levar as ideias para a frente. Tanto que, dias depois, aparece com um amigo que trabalha no ramo têxtil para que ele conheça e ouça diretamente de Cora. O jovem fica entusiasmado. Vai batalhar em cima de um projeto, é uma promessa.

– Se não der em nada, paciência. Não será a primeira vez que uma ideia minha é abortada.

– Como assim? Quais eram as outras?

– Em 1921, indo ao cinema algumas vezes, sugeri em artigo escrito e publicado em *O Estado de S. Paulo* – saiu exatamente no dia 3 de outubro daquele ano – que o governo, aproveitando a maravilha e o alcance do cinema, fizesse ou patrocinasse filmes de curta-metragem, que seriam exibidos em todas as salas cinematográficas e também ao ar livre, em grandes telas, mostrando de cada Estado do país suas terras, suas paisagens, cultura, folclore, pessoas e roupas típicas, músicas regionais e, principalmente, a oportunidade de desenvolvimento que oferecem em várias áreas. Isso faria o brasileiro conhecer mais o território e desenvolveria, tenho certeza, o espírito de brasilidade tão necessário em nossos dias.

– Como se chamava o artigo, mãe?

– "Ideias e Comemorações". E ainda dediquei a Monteiro Lobato.

– Que repercussão teve?

– Só uma carta de Monteiro Lobato aplaudindo. Os donos do poder nem leram, presumo.

– A outra sugestão que dei, escrevendo para as fábricas de rádios, foi que, no botão de comando do volume, escrevessem em três pontos algo como primeira posição – só para você –, segunda posição – ideal –, e na terceira posição – falta de educação. Íamos nos livrar do volume altíssimo com que algumas pessoas ligam seus aparelhos, esquecendo-se dos vizinhos, incomodando quem não quer ou não tem saúde para tanto barulho.

– Houve alguma resposta?

– Que nada! Até parece que, a partir de então, ouvir rádio só é possível em alturas incríveis!

De volta a Goiás, observando bem a casa, apreensiva, nota a deterioração em que se acha. Reconhece que precisa de uma boa reforma. Aproveita, então, a vinda do filho, que acaba de passar para a reserva do exército, para dar andamento ao projeto que não pode mais ser adiado. Convocado um mestre de obras, ele assegura que algumas paredes necessitam de um reforço e o madeirame do telhado representa perigo, pois está tomado pelos cupins. Mudando a madeira, melhor que se mude as telhas também.

Brêtas propõe ficar ali o tempo que durar a reforma, e Cora chega a alugar uma casa próxima para ficar nesse período. Algumas coisas são levadas para lá, mas ela resiste à ideia de deixar a casa velha. Então, é convidada pelo governador Ari Valadão para passar uns meses no palácio do governo, em Goiânia. Declina do convite, mas aceita ficar em casa de Ondina, mais uma vez.

Três meses são o suficiente para que a reforma seja concluída e logo que tem a notícia, volta. Aproveitou a estada em Goiânia para mais um lançamento de nova edição dos *Poemas* pela universidade e, muitas manhãs de domingo, compareceu à praça onde se realiza uma feira *hippie*, sentada em uma banca improvisada pela editora de Paulo Araújo, autografando livros e ficando em contato direto com seus leitores, com os jovens de quem tanto gosta.

Acostumada com as muletas, muitas vezes usa apenas uma, locomovendo-se sem grandes dificuldades. Tanto que escreve uma linda "Ode às Muletas".

A casa, agora, está bem melhor, contando com um banheiro completo, água encanada por todos os lados, cozinha reformada, telhado novo, paredes reforçadas.

Continua Cora a receber seus admiradores, a vender seus livros, vivendo deles unicamente, pois, desde a queda, não tem feito mais os doces. É impossível para suas forças mexer com os tachos de cobre que usa, erguê-los ou colocá-los na trempe que tem para isso e não gosta de depender da empregada neste mister.

Finalmente, chega o dia em que a casa vai a leilão. Apenas um grupo pequeno de sobrinhos não vendeu sua parte, daí a certeza que ela tem de que arrematará sem problemas, pois para isso vem se preparando com o dinheiro por tanto tempo.

O filho e o genro Flávio, que também é advogado, estão ali para dar apoio. E são eles que acompanham no fórum o leilão. Ficam em salas separadas os representantes das partes – Cora e sobrinhos. As ofertas vão sendo sistematicamente cobertas por seu filho e, em pouco tempo, termina de maneira favorável a ela, que deposita em juízo, na hora, a parte de dinheiro dos sobrinhos. Logo é lavrado o documento de posse definitiva.

Esse término da questão, que demorou tanto anos para se dar, lhe traz um desgaste intenso que a põe na cama bastante doente. Quando melhora um pouco, aproveita a estadia dos filhos e manda chamar o tabelião para registrar uma doação de propriedade para eles, mantendo o usufruto. Quando já está completamente restabelecida, resolve providenciar a pedra de seu futuro túmulo, decidindo que será enterrada ao lado do pai.

– Por que a pedra tumular agora? – perguntam parentes e amigos.

– Antes que alguém escreva bobagens no meu túmulo, deixo o que quero para marcar a minha passagem por esta vida.

– O que a senhora vai escrever?

– Versos, minha filha, versos.

Realmente, escreve um poema, "Meu Epitáfio", e manda gravar na pedra-sabão, tão típica de Goiás. Depois, guarda num dos quartos da casa. Tem também um hábito da ordem franciscana que conserva desde Penápolis e que sempre avisou querer ser enterrada com ele. Vai procurar e só encontra poeira, pois, depois de 40 anos na caixa, as traças deram conta. Leva o fato na graça.

– A pedra tem que ser esta, a roupa, a mais bonita que tiver...

Seu espírito de luta contradiz seu físico debilitado. Tanto que, escolhida como símbolo do idoso na festa comemorativa ao Ano Internacional do Idoso, promovida pelo Sesc de São Paulo, na presença de autoridades, diretores da entidade e um grande público, diz:

– Reconheço que sou uma *avis rara* dentro da minha geração. Não represento a média dela, mas a minha fortaleza de ânimo vem de nunca ter me abatido com as vicissitudes da vida. Minha vida: removendo pedras e plantando flores.

Aos admiradores, depois, no final das entrevistas:

– Nasci antes do tempo.

– A senhora nasceria sempre antes do tempo.

Ao autografar seus livros, nunca escreve só o seu nome, sempre uma mensagem é passada.

– Interessante: não conheço as pessoas, não verei nunca mais a maioria. No entanto, sempre estão me dizendo que aquilo que escrevi foi direto para elas, para a necessidade que cada qual tinha no momento.

– Isso porque sempre há uma lição de otimismo, de estímulo e todos estamos precisando disso.

– É uma explicação aceitável – Cora concorda.

O poeta Carlos Drummond de Andrade, ao ler seu livro, escreve a ela uma carta, impressionado com seus versos. Depois, em longo artigo publicado no *Jornal do Brasil* e em vários outros jornais do Brasil, enaltece sua obra e a considera "a pessoa mais importante de Goiás". E ainda mais: "seu livro é um encanto, seu verso é água corrente, seu lirismo tem a força e a delicadeza das coisas naturais". Assim, graças a ele, Cora se torna conhecida em todo o país, e os literatos e críticos têm que aceitar que mais uma estrela brilha no círculo fechado das letras.

Os contos que escreve estão assentados em fatos que viveu ou escutou em menina, baseados nas reminiscências do tempo do Vintém de Cobre, nome que escolhe para novo livro.

Recebendo tanta gente, de todos os Estados, tem convites para palestras em diferentes pontos. Vai aceitando alguns: Goiânia, Brasília, Londrina, no Paraná, e assim mais conhecida vai se tornando. Os estudantes continuam a ser uma constante nos seus contatos. O folclore goiano em suas palavras ganha um colorido mais forte, prende a atenção de quem a ouve. Alimenta-se com a presença jovem, fortifica-se, quase rejuvenesce, se possível fosse acontecer.

– Eu nasci antes do tempo, daí essa minha fome de informação; meus atos, minha maneira de ser, até hoje surpreendendo pessoas de minha geração, escandalizando, assustando.

– Quantos anos a senhora tem? – pergunta infalível.

– Tenho todas as idades. Venho do século passado e continuo nascendo, me renovando diariamente.

Responder mesmo, direto, jamais.

Com grande dificuldade, consegue dar por terminado o material para o terceiro livro e o encaminha à universidade que insiste em publicá-lo. Está fazendo noventa anos e a sua cidade promove uma festa comunitária para festejar a data. Acorda com a banda de música à sua porta, soldados perfilados, aclamações, missa e, para encerrar, uma mesa imensa armada na rua, cheia de doces e bolos. Os filhos presentes, os parentes queridos que chegam de Goiânia, todos os seus amigos.

Lançamento em noite de autógrafos na Universidade. "Vintém de cobre, a moeda, é o símbolo, símbolo de um tempo perdido, de uma vida áspera, mas pura e bela na sua singeleza; de uma infância pobre, mas povoada de sonhos; de uma felicidade autêntica, só muito tarde pressentida", diz Marietta Teles Machado na orelha deste livro.

Recebe convite para ir a São Paulo, onde Ruth Escobar, atriz, política, amante das letras, homenageia as mulheres que se destacam, no Primeiro Festival das Mulheres nas Artes. Noites de autógrafos são marcadas no teatro de Ruth, no Museu da Imagem e do Som, no interior, nas cidades onde morou e em outras. Festivais, homenagens chegam e vai comparecendo a todas, na medida do possível.

Impressiona a todos sua presença, caminhando apoiada nas suas muletas, com dificuldade sim, mas jamais deixando de comparecer quando solicitada.

Às vésperas dos seus 94 anos, recebe seu título de Doutora *Honoris Causa* pela Universidade Federal de Goiás.

– Essa é a maior emoção da minha vida!

Reconhecida por seu valor literário, ainda que "no tarde da vida", como costuma dizer, sente-se recompensada por tudo o que teve de superar, dos preconceitos, das podas familiares, das incompreensões e até mesmo de um pouco de inveja no mundo competitivo dos valores. Sempre tolhida, nunca estimulada durante a juventude e a maturidade. Por tudo passou, a tudo venceu.

Prepara um discurso transcrito nos anais da Universidade, belíssima peça literária, digna das melhores, dirigida aos jovens universitários e à comunidade de professores representada pela magnífica reitora, professora Maria do Rosário Cassimiro.

A família quase inteira comparece às festividades e ali também está para o seu aniversário: filhos, netos, bisnetos, sobrinhos, sobrinhos-netos. A casa sempre amiga de Ondina acolhendo a todos, num momento pleno de felicidade.

Em São Paulo, um grupo de intelectuais, atuante, em Santo André, tendo à frente a poetisa e membro da União Brasileira de Escritores, Dalila Telles, indica Cora Coralina para o prêmio Juca Pato relativo ao ano de 1983, onde já dois candidatos existem: Teotônio Vilela e Gerardo Mello Mourão.

Dalila conclama seus pares, seus amigos. Escreve, telefona, mobiliza, ajudada pela neta de Cora – Luiza – e vai acompanhando as apurações dos votos que chegam de todo o país até que, por expressiva margem de votos, Cora é eleita vencedora, sendo a primeira mulher a conquistar o troféu nos 22 anos de existência do prêmio, sem ela própria ter pedido sequer um voto.

Os votos que recebe, o maior número até então obtido por um escritor inscrito para o troféu, vêm dos mais distantes pontos; jovens escritores, que têm seus livros publicados, como é a regra do prêmio, e que precisam provar com a xerox da capa do livro, mandam seus votos.

Uma festa grandiosa é preparada na sede da União, em São Paulo, que se torna pequena para tantos intelectuais e convidados que chegam para homenageá-la.

O poeta-maior, Paulo Bomfim, para saudála, escreve versos, lidos com todo o brilhantismo, só sendo superado em aplausos quando Cora se levanta para agradecer.

Mais entrevistas para jornais, revistas, tevês, marcam o acontecimento. E ainda, nesta ocasião, recebe mais um diploma, conferido pela Associação Paulista de Críticos de Arte no setor literário, no ano.

O programa "Vox Populi", da TV Cultura de São Paulo, faz com ela uma entrevista excelente, assim como o programa de Hebe Camargo, este em nível nacional, que chega a receber centenas de cartas de todas as partes elogiando a apresentadora. A TV Globo exibe um "Caso Verdade" sobre Cora, em capítulos, outra vez em cadeia nacional, sendo que o último capítulo é com ela mesma, em sua casa, no seu cotidiano, falando sobre vários assuntos.

A Paulistur, presidida pelo jovem João Dória Júnior, presta-lhe uma homenagem inesquecível no Pátio do Colégio, berço de São Paulo. E é ali que se ouve um dos mais belos improvisos, quando agradece a São Paulo por tudo que de bom que aconteceu em sua vida, a primeira cidade a acreditar em seu valor ao editar seu primeiro livro, ao lhe conferir tantos prêmios, tantos diplomas. Para essa homenagem, Cora tem que se levantar da cama, onde há vários dias está com uma gripe fortíssima. Nesse dia também, por coincidência, faz 95 anos.

Enquanto está em São Paulo, a campanha para as eleições diretas está no seu apogeu, depois de vinte anos da revolução militar, período em que passaram pelo governo os generais Castelo Branco, Costa e Silva, Emílio Garrastazu Médici, Ernesto Geisel e João Batista Figueiredo. A rejeição da emenda conhecida como Dante de Oliveira – que a apresentou – choca a todos. Cora não se conforma.

Tempos depois de lançado seu *Vintém de Cobre – Meias Confissões de Aninha*, o senador goiano Henrique Santillo apresenta no Senado proposição em homenagem a ela, o que é aprovado por unanimidade.

Recebe em sua casa o convite formal, por um emissário, e marca a data de sua ida.

A esse convite do Senado Federal também se incorporam o da Secretaria de Cultura, o da Fundação Pedroso Horta e o da Fundação Cultural.

Na data aprazada, um carro vem buscá-la em Goiás. Vai ficar hospedada com um dos netos, Flávio, que mora em Brasília e é jornalista e advogado. À noite, acompanhada pelos netos Flávio e Paulo Sérgio, que também mora em Brasília, vai para o auditório Petrônio Portela. Ao chegar é cercada por jornalistas e televisão que estão aguardando no saguão, ao lado dos políticos e amigos: querem uma entrevista a qualquer custo e decide-se por uma coletiva. Perguntas, as mais variadas são feitas e a todos vai respondendo francamente, sem subterfúgios, até que chega a sua preferência entre os presidenciáveis, nesta eleição indireta, onde o deputado Paulo Maluf, de São Paulo, e o governador de Minas Gerais, Tancredo Neves, são os candidatos.

Cora sempre acreditou nos jovens, na sua capacidade de trabalho, na sua visão mais moderna, num critério mais audacioso, na criatividade sem medos, inerentes a eles, e sabe o quanto a idade pesa para os cargos de grande responsabilidade, daí sua preferência pelo paulista.

Brasília fervilha com o assunto, como de resto, todo o país, e as pesquisas de opinião no coração político da nação, onde as coisas realmente acontecem, dão vantagem a Tancredo.

Flávio, atento, ao lado da avó, sabendo do seu modo de pensar, sabiamente e sutilmente dá a dica de se terminar a entrevista, pois a hora se faz tardia e a cerimônia de homenagem já está atrasada.

Cora se levanta sem dar a resposta e, apesar da insistência de alguns entrevistadores, é levada ao salão preparado para a festividade.

Discursos são proferidos, sua obra enaltecida e recebe um diploma comemorativo. Agradece comovida, de improviso.

Bem mais tarde, já em casa do neto, é alertada pelos dois sobre a situação política que corre ali. Os jovens tentam convencê-la sobre as vantagens de Tancredo, o que ela ouve, aberta como sempre, analisando, trocando argumentos. Fica por aí a conversa, sem que ela dê seu posicionamento final.

Flávio, que costuma acordar cedo, ao passar pelo quarto onde está a avó, que já abriu a porta para poder perceber o movimento da casa, e então se levantar, é chamado por ela.

– Como dormiu, vovó?

– Dormi muito bem, obrigada. Sabe, filho, pensei bastante em tudo o que discutimos ontem à noite e cheguei a uma conclusão: não me convenci ser Tancredo o melhor para este momento de transição de governo. Ainda continuo com Maluf, mas, pelo sim, pelo não, quando vierem os jornalistas novamente com esse tipo de pergunta, vou desconversar, ou melhor, apenas fazer uma análise do assunto, sem tomar posição. O que você acha?

– Ótimo, vovó – Flávio sorri com a esperteza dela e sai satisfeito.

Apesar da idade, das muletas, tem vaidades: está sempre de unhas feitas, cabelos bem penteados e arrumada para as entrevistas em casa da neta Luiza ou em auditórios e escolas.

Ana Maria, outra das netas, quando ela está em temporada em São Paulo, chega para visitá-la trazendo suas duas filhinhas. Foi um dia cheio de visitas e entrevistas, mas agora, só com a família, relaxa recostada no sofá.

– Ana Maria, você, como jornalista que é, está sempre por dentro de tudo o que acontece, não é?

– Mais ou menos, vovó, pois no jornal cubro só determinada área. O serviço é dividido entre vários colegas, cada um num setor. Mas leio tudo, em vários jornais. Mas o que a senhora quer saber?

– Tenho lido bastante sobre lipoaspiração – novidade para acabar com as gorduras indesejáveis, me parece.

– Realmente, a lipoaspiração retira gorduras localizadas, sendo muito simples o processo, com a vantagem de não deixar cicatrizes, sem dor etc.

– Sabe, eu sempre tive vontade de diminuir os seios, pois nunca me conformei por tê-los tão grandes. Acho mesmo que esta corcunda tem suas raízes no peso que sempre tive que carregar na frente.

– Penso que esse caso seria para operação plástica.

– Já indaguei, mas não posso fazer por causa da anestesia geral, que não é indicada para a minha idade.

– Acredito que a lipo não resolve seu caso, mas vou tomar mais informações, se a senhora quiser.

– Ah! Deixa pra lá. Também já estou com 95 anos. Se aguentei até agora...

Durante esses últimos dias em São Paulo, o bisneto Nelson Luiz, que mora em São Bernardo, casa-se. É o primeiro bisneto a casar e ela comparece, emocionando-se na cerimônia. Ao casal, pede apenas que lhe dê a alegria de ter, ainda em vida, um trineto.

– Já pensaram na beleza de poder dizer à minha filha: filha, me deixe segurar o seu bisneto?

Risadas gerais, mas aquelas palavras calam fundo em todos que as ouviram.

Após tantas festas e homenagens em São Paulo e no interior, volta debilitada para a Casa Velha da Ponte. Não tem mais condições de ficar sozinha com a empregada Ditinha, que há anos a serve, e com seu Vicente, mais velho e doente que ela própria. O filho vai ficar com ela e depois uma das netas, Luiza.

Ainda recebe seus visitantes e, na maioria das vezes, está de cama. Mas levanta-se para vê-los. É constantemente assistida por sua médica. Amigos de longa data, como Antolinda, Marlene, dona Altair, Messias, seu Luiz, seu Sebastião e tantos outros, estão sempre presentes, passando pela velha casa várias vezes por dia, atentos às suas necessidades.

Não está propriamente doente, mas muito enfraquecida e gripada.

A dificuldade para respirar leva os amigos a transportá-la para Goiânia, onde é internada. Chega à sala do médico andando, mas, à noite, não responde mais ao tratamento e se apaga tranquilamente, sem sofrimento, qual uma vela a se findar – 10 de abril de 1985.

"Não morreu, encantou-se"... (parafraseando outro famoso poeta).

Seu túmulo lá está, em Goiás, com a pedra que deixou pronta:

"Não morre aquele
que deixou na terra
a melodia de seu cântico
na música de seus versos."

Nota da Autora

Esta biografia romanceada de minha mãe foi escrita sem a intenção de ser a dona da verdade. Cada filho, cada neto, cada parente, cada amigo teve sua visão da vida fabulosa desta mulher, simples sim, mas de uma fibra incomum, que soube traduzir tão bem, nos seus escritos, o tempo e o espaço em que viveu. Portanto, podem contar a vida dela de diferentes formas, sem negar, contudo, a essência.

Sendo a mais nova das filhas e temporã, muitas vezes senti ter sido previlegiada por dedicar mais de seu tempo a mim, na oportunidade de ouvir os "causos", de aproveitar sua maturidade vivencial. Daí este livro no ano em que se comemora seu centenário de nascimento. Foi uma vida cheia de dificuldades, de dores, mas também de alegrias e sucessos.

Otimismo e perseverança, os ensinamentos que ela me transmitiu. Graças a eles, cheguei a este livro.

CORA CORALINA

No dia 10 de abril de 1985, em Goiânia (GO), morria, aos 95 anos, Ana Lins dos Guimarães Peixoto Brêtas. Concluía-se uma história de alegrias e sucessos numa vida cheia dificuldades e dores. As terras de Villa Boa de Goyaz, onde nascera a 20 de agosto de 1889, deixou para trás, nos idos de 1911, ao lado de Cantídio Tolentino de Figueiredo Brêtas, contrariando a conservadora senhora dona Jacintha Luiza do Couto Brandão Peixoto, sua mãe, e chocando a cidade.

Residiu no Estado de São Paulo por quase meio século, entre as cidades de Jabuticabal, São Paulo, Penápolis e Andradina. Teve seis filhos, todos paulistas. Retornou à cidade de Goiás em 1956, e somente aos 76 anos publicou seu primeiro livro, divulgando o gênio e a simplicidade de sua obra.

Imortalizada em suas palavras, em seus versos, vive Cora Coralina.

OBRAS DE CORA CORALINA

Estórias da Casa Velha da Ponte
Poemas dos Becos de Goiás e Estórias Mais
Meu Livro de Cordel
O Tesouro da Casa Velha
Vintém de Cobre
Villa Boa de Goyaz
Doceira e Poeta
Os Meninos Verdes (Infantil)
A Moeda de Ouro que o Pato Engoliu (Infantil)
O Prato Azul-Pombinho (Infantil)
Poema do Milho (Infantil)
As Cocadas (Infantil)
A menina, o cofrinho e a vovó (Infantil)
Contas de dividir e trinta e seis bolos (Infantil)

GRÁFICA PAYM
Tel. (011) 4392-3344
paym@terra.com.br